Frente al espejo

Frente al espejo

Terelu Campos
Kike Calleja

1.ª edición: julio 2017
1.ª reimpresión: julio 2017
2.ª reimpresión: julio 2017

Travessera de Gràcia, 47-49. 08021 Barcelona
Sipan Barcelona Network S.L. es una empresa
del grupo Penguin Random House Grupo Editorial, S. A. U.

Printed in Spain
ISBN: 978-84-17001-16-2
DL B 18603-2017

Impreso por EGEDSA

A ti mamá, el pilar de mi vida. Esa mujer que me ha enseñado a ser, espero, una buena persona. A mi hermana. ¡Qué importante en la vida es tener un hermano! ¡Cuánto siento no haberle dado uno a mi hija! A mi hija por ser una madre tan exigente y tan porculera muchas veces. No te olvides, Alejandra, que siempre es pensando en lo mejor para ti. Y a todas las personas que en algún momento de la vida han tenido una palabra de cariño y de respeto para mí. Esos son los que creo que me han hecho ser lo que soy. A ti, mi querido Rafa Lorenzo, qué importante eres en mi vida y qué valorada me he sentido cerca de ti. Y, por supuesto, a ti, papá. ¡Cuánto me hubiera gustado que hubieras podido estar presente en la vida que he vivido y en la que espero seguir viviendo!

TERELU

A mi padre que gracias a todo lo que me ha ayudado en la vida he podido cumplir mi sueño de ser periodista. A mi hermana por todo su apoyo y comprensión. A mi madre que está en el cielo y me da fuerzas para seguir cada día luchando y poder dedicarle todo lo bueno que me pasa. A mis amigos por estar siempre aconsejándome para que siga superándome y, por supuesto, a Edith Pérez Amo, mi «otra hermana» que siempre me guía por el buen camino para que siga creciendo profesional y personalmente. Para todos mis compañeros de profesión que tanto me han protegido, me han ayudado y me han enseñado para ser el profesional que soy hoy. Y de parte de Terelu y mía a todos los que han hecho posible que este sueño se haya hecho realidad en especial a Carmen Borrego y a Rafa Lorenzo.

KIKE

Prólogo

Terelu me ha preguntado qué canciones de mi repertorio podrían formar parte de la banda sonora de la vida que ella misma nos cuenta en este libro. A mí se me ocurren varias, como «Hablemos del amor», «Mi gran noche», «Qué sabe nadie», «Escándalo», «Cuando tú no estás», o «Aunque a veces duela». Sin olvidar una que lleva precisamente el título de este libro: «Frente al espejo.» Eso es lo que hace ella en estas páginas. Terelu se pone delante de un espejo, es decir, de un amigo para mirarse y repasar los momentos que han ido marcando su historia personal y profesional. En ocasiones sus palabras están cargadas de humor, de dolor... Imagino que no ha sido fácil para ella volver a determinadas cosas. Pero, lo ha hecho, pese al riesgo que siempre supone remover el pasado. También he encontrado a la Terelu divertida que conozco en el trato directo de tantos años. Y hay un capítulo en el que me identifico especialmente con todo lo que siente a la hora de abrir su corazón: su enfermedad. Los dos hemos estado al límite de los límites... Comparto sus preocupaciones, sus miedos, pero sobre todo comparto su esperanza y sus ganas de luchar para ganar una batalla que, esa sí, merece realmente la pena.

Frente al espejo quiere decir frente a uno mismo, con lo bueno y con lo malo, con lo que nos gusta de nuestra vida y de lo que no nos arrepentimos, con lo que podría ser mejorado y hubiésemos querido cambiar. Frente al espejo con risas y con lágrimas, con miedo y con esperanza. Con Terelu deslizándose al compás de infinitos bailes.

RAPHAEL

Introducción

MI AMIGA. MI CONFIDENTE. MI TODO

Teresa Lourdes Borrego Campos, conocida por todos como Terelu Campos, es a la vez una gran desconocida para el público. Ella es una mujer que cuando se apagan los focos o fuera de las portadas de las revistas guarda en su corazón muchas cosas que nunca ha contado, hasta hoy. Detrás de esa mirada, de esa sonrisa que hipnotiza, de esa imagen misteriosa que muchos califican de altiva por una timidez que la mayoría desconocen, se esconde una mujer sensible, llena de miedos, de virtudes, generosa con sus amigos, familiares y parejas capaz de hacer cosas que nadie se imagina para hacer feliz a su gente. Renunciando incluso a su propia felicidad muchas veces para beneficiar a los demás. A pesar de su fama y de todo lo bueno que ha vivido, su vida no ha sido un camino de rosas. Pero ¿cómo es verdaderamente Terelu Campos? ¿Cómo vivió realmente su enfermedad? ¿Cómo ha afrontado su cambio profesional? ¿Quién ha sido el hombre de su vida? ¿Cómo es la relación con su madre? ¿Cómo afronta su futuro? Y, sobre todo, ¿por qué ha decidido abrir ahora su corazón y enfrentarse a sus miedos? En este libro se encuentran todas esas respuestas.

Para mí hablar de Terelu es hablar de alguien a quien quiero y quiero muchísimo. Más de lo que ella se imagina y lo digo en voz alta. Me tachan muchas veces de no ser objetivo en todo lo que se refiere a ella, pero me da igual. No me preocupa. Antes de nada, quiero agradecerle que se cruzara en mi vida y darle las gracias porque le debo muchas cosas, algunas que ni ella misma sabe. Nunca olvidaré el día que la conocí. Yo llevaba pocos meses trabajando en *Sálvame*. No atravesaba mi mejor momento personal tras la pérdida de mi madre. Me sentaba cada día en un sitio diferente porque entré como sustituto para cubrir las vacaciones de verano y no tenía aún un sitio fijo en la redacción. Un buen día me senté por casualidad en el lugar donde ella suele ponerse a comer cuando llega a trabajar, la mesa de Raúl, el director. Nunca habíamos hablado y me dijo que ese era su sitio. No sé por qué en vez de levantarme le dije que en esa mesa estaba yo trabajando y que no me iba a mover. ¡Vaya situación y qué descarado fui ahora que lo pienso! No me arrepiento viendo todo lo bueno que hemos compartido desde entonces. Ahí surgió algo especial que se convirtió en una gran amistad basada en el respeto, la confianza y la complicidad. Durante los cuatro años que nos conocemos hemos vivido muchas cosas y muchas experiencias juntos: buenas y regulares. No me gusta decir malas porque todo lo malo tiene un trasfondo de bueno que nos hace aprender.

Todo este tiempo hemos compartido confidencias el uno con el otro. Muchas no se pueden contar y quedarán siempre para nosotros. Lo que siempre he tenido claro es que las cosas que escucho en la televisión, leo en prensa o en la calle sobre ella no se corresponden con la realidad la mayoría de las veces. Harto de oír mentiras y cosas que no se asemejan a la realidad me hicieron plantearme lo siguiente: ¿Qué puedo hacer para que la gente la conozca realmente? Pues un libro en el que se plasme sus sentimientos y en el que recorramos todo aquello que ha marcado su personalidad. Dicho y hecho. Fue el verano del año pasado cuando le propuse mi idea a Terelu. Ella siempre me ha escuchado decir: «Si es que no te conocen como eres realmente.» Y me daba mucha rabia. No lo podía soportar. Sin decirle nada escribí un guion con todos los temas que quería revivir con ella. No me resultó difícil puesto que sabía todo o mejor dicho casi todo lo que realmente ha sido importante para ella y ha marcado su vida para bien y para mal. Algunas de ellas las hemos vivido juntos desde que nos conocemos y otras, como es obvio no, pero me las ha contado a lo largo de estos años de amistad.

Una vez que le presenté el proyecto y viendo que no me respondía lo di por perdido. Un día no sé por qué se lo conté a su hermana, Carmen Borrego. Fue durante la última feria de Málaga cenando frente al mar. Nunca se me olvidará. Me dijo que se lo enviara y cuando lo leyó le pareció fascinante. Ella fue quien incitó a Terelu a que lo viera detenidamente y se lo pensara bien. Al poco tiempo en Madrid me contestó y dijo quiero hacerlo.

Ahí comenzó un duro trabajo de horas y horas. El día más complicado fue el primero. Estaba muy nerviosa como nunca la había visto. No era fácil volver a vivir todo aquello que le propuse y como es a veces tan cabezota y a la vez tan valiente decidió empezar abordando lo que realmente más le angustiaba en ese momento. Otra vez, la enfermedad le había tocado de cerca a través de una persona cercana. A lo que se sumaban otras muchas cosas personales. En largas conversaciones hemos abordado su vida, sus experiencias mejores y peores, pero creo que hemos conseguido el objetivo que tanto deseé: que la gente sepa cómo es como madre, hija, hermana, amiga, profesional, como pareja y el porqué de muchas cosas. Como se imaginarán durante la creación de este libro hemos vivido muchas cosas: risas, lágrimas de emoción, de rabia, algún que otro desencuentro jajajaja —ya se sabe que ella tiene mucho carácter—, pero en el fondo hemos sentido mucha satisfacción por el resultado.

Querido lector, creo que ha llegado el momento de que Terelu se ponga frente al espejo y descubra a través de estos capítulos a una mujer maravillosa en todos los sentidos que pocos conocen realmente.

LO CONFIESO

No me gusto. No me gusta lo que veo. Me estoy mirando en el espejo, y no me reconozco. Este no es mi cuerpo. Mejor dicho: no es como yo quisiera que fuera. Como era antes. Me pone triste esta imagen tan alejada de esas fotografías que tengo repartidas por la casa. Fotos con mi familia, con amigos. Fotos trabajando. Entonces yo era otra. Sí, no hace mucho tiempo yo era de una manera muy distinta. Era como aparezco en esos momentos. Es evidente que estaba bastante mejor. También es verdad que en esa época era, tal vez, más feliz. Y eso ayuda. Todavía no habían llegado a mi vida todas las tormentas; todos los cataclismos y los terremotos y las decepciones que han ido surgiendo como una mancha de lava en los últimos años. Rara es la semana en la que no hay un sobresalto. Y mira que trato de tomármelo con calma. Incluso de tomármelo un poco a chufla. Pero no lo consigo. Hay días en que me digo: «Nada, mujer; tú, pelillos a la mar.» Lo digo así como quitando importancia. Como desdramatizando. En realidad, lo digo con la boca pequeña. A los dos minutos ya empiezo a notar un temblor, una sacudida que me va del estómago a la cabeza; como si fuera una descarga de electricidad corriendo por mi piel. Está claro que yo podré ser muchas cosas. Menos una: zen.

El año no ha empezado bien; bueno, ha empezado fatal. Primero pasó lo de Gran Hermano VIP. Nunca, ni en mis sueños más disparatados, había imaginado estar en la casa más famosa de la tele. Ni loca. Así que entro allí aterrorizada, muerta de miedo; pensando que no voy a poder aguantar ni un minuto en un lugar tan extraño para mí y con gente que, en muchos casos, no había visto jamás. Yo no paraba de enumerar todas mis manías —que son incontables— en un ámbito, digamos, tan doméstico. ¿Cómo van a ser las noches? ¿Podré comer sin que se me atragante el filete de pollo? ¿Podré callar cuando alguien suelte una impertinencia? ¿La soltaré yo? ¿Aguantaré sin ver a los míos? ¿Soportaré las ausencias? ¿Soportaré alguna que otra presencia? ¿No haré ascos a la hora de compartir el baño? ¿Me aburriré? ¿Me olvidaré de las cámaras? ¿He acertado, en fin, al decir «sí» a esta aventura? Estas y otras preguntas me hacía antes de cruzar aquella puerta, de aterrizar con mi maleta en un espacio que, de repente, podía ser un polvorín: iba a mostrar mi intimidad delante de millones de personas. Iba a desnudarme más que en *Interviú*.

¿Sería un paso adelante o un paso en falso? ¿Cómo me verían los demás? ¿Saldrían a relucir mis muchísimos defectos? ¿Sería capaz de resistir semejante prueba? ¿Sería fuerte? ¿Sería divertida? ¿Estaría borde, como sé que puedo llegar a estar? ¿Alguien apreciaría mis cosas buenas que, modestia aparte, también las tengo? Ese era mi estado; es decir, un estado lamentable; un estado de guerra permanente contra mí misma. Para eso soy única. No hace falta que nadie me jalee: yo misma me fustigo sin la ayuda de la guardia pretoriana. Eso me pasa por insegura, aunque sé que tengo fama de lo contrario. Ya, ya... Estaba, pues, muerta de miedo cuando, de pronto, llego y descubro que me siento inmensamente feliz. ¡Muy feliz! Y pienso: «¡coño, esto no me lo esperaba!».

Nada, no hay ningún problema por usar un baño por el que pasan otras trece personas. No hay ningún problema con los desconocidos. No hay ningún problema por aparecer con la cabeza llena de rulos como una corona de espinas de plástico. Vamos, que no hay ningún problema con nada. Y descubres que te has metido en una burbuja. Han desaparecido los temores. No queda ya ni rastro de las preocupaciones. Ni sombra de los fantasmas. El pánico se ha esfumado. No hay enemigos en el horizonte. El cielo se dibuja limpio en Guadalix de la Sierra. Y yo tengo la sensación de que alguien me está cuidando. Tengo la sensación de que he llegado a un sitio en el que nadie me va a hacer daño.

Sin responsabilidades. No, no existen las responsabilidades. Han volado. Se han desintegrado en el aire. Las grandes y las domésticas. Aquellas en las que parece que nos va la vida. Y las otras, las que hacemos casi mecánicamente. Por ejemplo: llevar a tu hija al colegio. Algo tan sencillo, tan normal, tan importante también, pues no tienes que hacerlo. Al principio te extraña. Luego te das cuenta de que ya lo has dejado organizado. Así que no hay motivo para sufrir: tu hija irá a clase como todos los días, comerá, regresará a casa, hará los deberes y se acostará. Otro asunto: el móvil. Sí, ese móvil que va conmigo a todas partes, que lo llevo del salón a la cocina y del trabajo al restaurante. Ese móvil que si tarda un poco en sonar, en iluminarse con un mensaje, creo que se ha muerto de pena. O de un ataque de ansiedad. El mismo móvil que cuando se bloquea le hago la autopsia como al cadáver de un juguete. Pues ese móvil, ¡ay, lo dejas abandonado en tu memoria! Ni un gesto de buscarlo, de encenderlo. Ni un suspiro por él. Nada de echarlo de menos. Ni te acuerdas. Gran Hermano lo ha llevado a un lugar impensable: el olvido.

Lo reconozco: allí me siento acompañada. Incluso, a veces, mucho más que en mi propia casa. Mi hija se va pronto al colegio y vuelve tarde. Hay días que no puedes evitar un golpe de soledad. En GH, en cambio, entras al confesionario y el súper lo primero que te pregunta es cómo has pasado la noche. Y tú le dices que te ha dolido la costilla. Y él te asegura que el día que acabas de empezar va a ser maravilloso. Nunca una voz ha llegado tan lejos en tus afectos. Nunca una voz ha sido tan necesaria. Tan hipnótica. Alguien te dice algo amable, te está deseando desde primera hora que tengas un buen día. Alguien, esa voz, quiere que seas feliz.

Todo eso, tan imprevisto, tan insospechado, me trastocó completamente. Es la sensación de estar protegida, de que nada malo te puede pasar entre esas paredes, bajo esos focos, delante de todas esas cámaras. Nada te va a rozar. Eso se agradece. Eso es un tesoro. Sobre todo porque mi vida ha ido derivando a una exposición mediática enorme. Lo cual, en consecuencia, tiene un precio. Cuando estás en la primera línea es como si estuvieses en la avanzadilla del combate: todas las flechas van dirigidas a ti. Estás en la diana. Eres el punto de mira. Hay momentos en que tratas de relativizar las cosas. Pero en otros no es tan fácil. Te van a disparar te pongas como te pongas. Vas a salir tocada, herida en alguna parte de tu alma. En Gran Hermano no iba a tener problemas con nadie. No soy una persona conflictiva. No me gusta la guerra. No me gustan las armas. Ni siquiera los líos. He de reconocer que tal vez yo tenía una ventaja: entraba un día y me iba prácticamente al siguiente. No tenía que estar por narices uno o dos meses. No. Yo tenía fecha de entrada y de salida. Así que en aquella casa estaba logrando algo que buscaba con todas mis fuerzas: vivir en paz. O eso creía.

Regreso a la normalidad feliz, relajada, creyendo que la experiencia, contra todo pronóstico, ha merecido la pena. Me he sentido bien. He disfrutado. He sido capaz de vencer miedos, de romper trabas, de saltar barreras; he podido, en definitiva, ir más allá de lo que nunca hubiera imaginado. Pero esa vuelta a la realidad ocurre en un plató. Y sucede, entonces, uno de los momentos más desagradables de mi vida profesional. Allí, rodeada de personas que conocía y de otras que nunca había visto, me siento como una presa que sueltan para ir a por ella. Para devorarme. No entendía nada. Yo iba recibiendo zarpazos, mientras me iba quitando poco a poco la venda de los ojos. Venía de una fantasía, de un planeta virtual. Acababa de llegar de un sitio que solo existe en los plasmas de las casas y de los bares. Ahora estaba en el mundo de los vivos. Y yo me quería morir.

Fueron unas horas y unos días malos. Muy malos. Tú estás convencida de que no has hecho nada ofensivo. Has intentado ser correcta con todos, amable. Lógicamente siempre tendrás más sentimientos por unos que por otros. Es una gilipollez decir que quieres a todos por igual. En absoluto. Eso es mentira. Cada uno tiene sus debilidades. Pero, en general, creo que estuve correcta y normal durante mi estancia en esa casa. Viendo aquel alboroto en el plató no dejaba de preguntarme qué había hecho, qué había pasado. Estaba sorprendida con las reacciones, con las críticas. Estaba desconcertada con la situación. Estaba, lo reconozco, hecha polvo. Y solo quería volver, sí, volver corriendo a Gran Hermano. Necesitaba refugiarme entre sus paredes. La felicidad había terminado.

Mi familia me entregó el teléfono. Pero yo no lo quería. Otra vez los miedos. Otra vez el terror. Mi cuñado, José Carlos, me lo puso en las manos. Y lo rechacé. No quería ver los mensajes. No quería saber qué comentarios se escondían en la recámara del móvil. ¿Qué cosas espantosas estarían diciendo de mí? ¿Qué imágenes? ¿Qué demonios habría dentro de aquella caja de sorpresas? No quería el teléfono. Ni el reloj. No quería nada que me devolviera al tiempo real. ¡Y solo había estado fuera seis miserables días de mi vida! Seis días que serían ya imborrables.

Esa noche llego a casa y bajo la aplicación de Gran Hermano. Me meto en la cama y veo en directo ese mundo que acababa de dejar, ese programa de la televisión en el que las cosas van sucediendo sin más guion que el impulso. Allí estaban ellos, los hombres y las mujeres con los que hacía tan solo unas horas yo estaba compartiendo el espacio. «¿Y yo he vivido todo esto?», me preguntaba con los ojos inundados por la felicidad y, seguramente, por la nostalgia de haber estado entre esas cuatro paredes. El ser humano en su estado más primitivo: que tienes hambre, comes; que no lo tienes, pues no comes. Sí, tal vez, hemos ido evolucionando en muchas cosas; pero también hemos ido para atrás en otras. Nos hemos ido acotando la vida, nos hemos marcado demasiados tiempos; hemos ido restando, creo, libertad. Me refiero a la libertad básica, la del instinto animal. La libertad que te permite comer y dormir cuando te apetece. Pues todo eso yo lo disfruté en aquella casa a la que un día espero volver. El año había empezado de esa manera. Pero iba a continuar de una forma mucho peor.

JODIDO CÁNCER.
(A TI. MI QUERIDA BEATRIZ)

Al día y medio de salir de aquella experiencia, amanezco con la terrible noticia del ingreso en un hospital de Beatriz, la pareja del padre de mi hija. Allí me dirijo inmediatamente. Sin dudarlo ni un segundo. Yo sabía que tenía que estar allí. En ese momento soy consciente de que, de alguna manera, podíamos ya saber que lo que iba a pasar era algo más cercano en el tiempo de lo que esperas. Y no digamos de lo que deseas, claro. Quiero decir, de entrada, que yo nunca tuve una gran amistad con Beatriz. Pero a las dos nos unió fundamentalmente la enfermedad. La jodida enfermedad que en diciembre de 2011 me diagnosticaron a mí también: un tumor de mama.

La relación con el padre de mi hija es buena. Creo que es más fácil cuando no hay convivencia. Al menos, no existen esos problemas de «entre tú y yo». Ojo: nada es de color de rosa. Tal vez haya otras dificultades, pero cuando dos personas separadas se acercan mutuamente, lo hacen ya sin ningún compromiso, sin ninguna obligación. Las cosas se hacen por decisión propia. Conclusión: si yo voy a cenar a su casa o vienen ellos a la mía, es porque nos apetece a las dos partes. Somos libres y adultos.

Al principio de conocernos noto en Beatriz una cierta distancia. No me extraña. Me parece absolutamente normal. No tenemos entre las dos grandes conversaciones ni establecemos una aparente complicidad. Digamos que cada una estaba en su sitio. Pero, al cabo de dos años, Alejandro me llama y dice que necesita mi ayuda. Sin saber de qué se trata le digo «sí». No vacilo ni un instante. Y es entonces cuando me lo confiesa: «Beatriz tiene tu misma enfermedad.»

Sabía perfectamente cómo se sentía, lo que pensaba. Conozco lo que pasa por tu cabeza los primeros días de la noticia. Así que le digo a Alejandro que para lo que necesiten pueden contar conmigo desde ya; y digo desde ya, porque el tiempo en estos casos puede ser un aliado o un enemigo. ¿En qué podía ayudar yo? Conozco a médicos especialistas, médicos que me estaban tratando a mí. ¿Hay que explicarle algo? Yo se lo aclaro. Yo puedo entenderla, escucharla. Yo puedo tranquilizarla, porque ya he pasado por ese calvario. A partir de ahí, creo que Beatriz y yo empezamos a querernos más. Sí, iniciamos una relación de afecto, de cariño mutuo. Y me doy cuenta de que ella es una persona tremendamente joven. Y eso me parece horrible. Y me parece incluso, sí, más horrible que lo mío.

El proceso fue muy diferente al mío. Cuando a ella le detectan el cáncer, desgraciadamente está en una situación mucho más complicada que la mía. Pero yo la animo. Intento darle fuerzas. ¡Tiene que salir adelante! ¡Tiene que vencer todos los obstáculos! Tiene que ser fuerte. O parecerlo. No hay que tirar jamás la toalla. Ella me llama y me va contando cada paso, cada sensación. Si le iban a dar la quimioterapia le digo que le pongan el reservorio. Es una cámara que se coloca debajo de la piel, para acceder a una vena de gran calibre o para llegar al líquido cefalorraquídeo. Así empezamos a estrechar lazos, a estar más próxima la una de la otra. En septiembre de 2015 Alejandro me dice que la van a operar. Le tienen que hacer una mastectomía. ¡Dios mío! Tiene solo treinta y seis años.

Llego al hospital. En la habitación solo estábamos los tres: ella en la cama, Alejandro y yo. Son de esos momentos en que no sabes cómo hacer las cosas. Mi duda era si debía de estar allí o no. O si ella estaría pensando «¿qué hace aquí esta tía?». Así que cada vez que tenía intención de ir, llamaba antes para preguntar. Siempre me decían que fuera, que estuviera al lado de Beatriz en el hospital, la Fundación Jiménez Díaz, que era un territorio que desgraciadamente yo conocía bien. Era «mi» hospital. Y creía que si yo estaba allí, a lo mejor la mimaban más, puesto que a mí me conocían los médicos y las enfermeras. Yo siempre les decía: «La que está en esa cama soy yo.» Pero en ese momento era ella, era Beatriz a punto de que la bajaran al quirófano. Le miro la cara y noto, Dios mío, su expresión de miedo. Y yo le digo que todo va a ir bien, que esté tranquila; que no se preocupe por nada, y mucho menos por una teta, que cuando vuelva a la habitación eso ya no estará ahí fastidiándole la vida. Ella me miraba como dándome la razón, como aferrándose a mis palabras; como si cada una de ellas le estuvieran dando lo que yo pretendía: un humilde y sincero consuelo.

Van a buscarla a la habitación. El celador nos dice que nadie puede bajar a quirófano. Yo le digo que por favor su marido la va a acompañar hasta la puerta y al final acceden. Nunca olvidaré cuando Alejandro sale de la habitación para ir junto con Beatriz. No puedo evitar emocionarme cada vez que hablo de esto. Me tuve que meter en el baño porque me rompo y empiezo a llorar sin consuelo. Aún se me quiebra la voz recordándolo. Perdón, pero necesito parar unos minutos para continuar.

Me cuesta mucho volver a imaginarlo todo, pero lo quiero hacer por el recuerdo de Beatriz. Tengo que ser fuerte por ella y por el padre de mi hija. Pero estoy rota. Me meto en el baño y empiezo a llorar sin consuelo. ¡Qué injusto! ¡Qué tremendo! No solo por el que la sufre en primera persona, sino por el que está al lado de quien padece algo tan espantoso. Y creo que ese es el momento en que afloran por primera vez todos mis sentimientos por Beatriz. De pronto hay entre las dos una corriente cálida, un abrazo imaginario que nos envuelve en la frialdad de un hospital. Eso fue lo que me unió más a ella: el dolor, la lucha por vivir. Hasta que en una de las revisiones ya nos comunican lo peor. Y todo se llenó de sombras.

¡No puede ser! ¡No puede ser!, me repetía en silencio. No puede ser que no haya una solución, que no exista ni un soplo de esperanza. Pero así era. Y es entonces cuando empiezan los ingresos frecuentes en urgencias, y yo salía corriendo con cada una de esas llamadas. No puedes hacer nada. Lo sé. Pero quieres que sepa que estás a su lado, que no está sola. No por eso va a sufrir menos. ¡Claro! Y sin embargo puede que la ayude a no rendirse, a que no le invada la desazón. Y llegaba a boxes y el padre de mi hija, cosa que le agradezco, me pedía que entrara yo, que conmigo se iba a desahogar. Y allí estábamos las dos, como si la enfermedad nos hubiera llevado a un lugar común en el que ya nos podíamos hacer confidencias.

Ella tenía una cosa muy buena con la que me siento identificada: no quería ser una enferma, no quería vivir como tal; no. El planteamiento era muy distinto: estoy aquí para vivir, quiero vivir. Y de hacerlo con mayúsculas. No de mal vivir: de vivir. Así hasta el final. Hasta ese momento muy cercano de mi salida de la burbuja. Salgo de vivir un idilio, un juego de magia, y me encuentro en un hospital. Me doy de narices con el lado menos amable de ese sitio. Me enfrento a ese instante en el que tú notas que ya todo va a acabar. Y me doy cuenta de que no estoy preparada. Ni tampoco lo estaba una de las personas más importantes de mi vida: el padre de mi hija. Creo que los dos nos habíamos engañado un poco a nosotros mismos. Pensábamos que eso que estaba a punto de ocurrir no iba a llegar jamás. Pero llegó. Y me vine abajo. Y empecé a llorar como lo hago ahora. Lloro, sí, al revivir un momento tan desolador. Lloro porque estaba ahí, a su lado, y empiezo a notar que se va, que comienza a apagarse. Y yo no puedo hacer nada. Ves que ya no está. Beatriz ha muerto. ¡Y lloro como lo hice entonces porque te das cuenta de la injusticia! ¡Lloro porque me parece una mierda! Y porque notas la fragilidad de la que estamos hechos. Mañana giras la cabeza y, zas, ya no estás vivo.

De Beatriz me quedo con una gran lección ante la vida y ante la muerte. Me llevo su serenidad. Su sonrisa dulce, su gesto amable. Tras su muerte mi preocupación era por mi hija y por su padre. Se me partía el alma de pensar lo que les venía a los dos. ¡Dios mío la que se les viene encima! Y eso me destrozó completamente. La muerte de Beatriz me llegó a afectar tanto que he llegado a decir a mis amigas que a lo mejor era yo la que tenía que haberse ido, y no ella. Y no puedo evitar las lágrimas al pensar en ello. Sí, rompo a llorar y no me importa llenar mi cara de lágrimas porque por primera vez me sentía culpable de estar viva. Es tremendo decirte a ti misma: «¿Por qué tú sí y ella no? ¿Qué derecho tengo yo que ella no tuviera?» Cuando les he planteado esto a las personas que me quieren se han puesto conmigo como una fiera. Todavía estoy escuchando a mi amiga Mayi gritándome: «¡Es injusto para cualquiera, pero tú tienes una responsabilidad en la vida, tienes una hija. ¿Qué quieres? ¿Dejarla sola?!» Y entonces, no sé si para consolarte, piensas que tal vez tenga razón. Aunque es una idea que aún me ronda por la cabeza. Sí, me da la pelotera de flagelarme. Siempre tengo la preocupación de que todo esté bien; de que Alejandra esté bien, de que su padre, en la medida de lo posible, también esté bien. Lo que yo quiero es, en resumen, una cosa sencilla, pero complicada: quiero la calma.

MI PEOR ENEMIGA

Sé que lo nuestro, lo de mi ex y lo mío, a muchas personas les llama la atención. Les sorprende que Alejandro y yo tengamos una buena relación. Incluso, algunos no se lo creen. Pero esto es lo que hay. Simplemente. De verdad, que dejen de dar vueltas. Llevamos catorce años divorciados. Y desde entonces, ya se sabe, sí; ya lo sabemos, he tenido un montón de relaciones. ¿Y? El tiempo coloca los sentimientos en orden. Claro que yo quiero a Alejandro. ¡Por supuesto! ¿Cómo no voy a querer al padre de mi hija? ¿Cómo no voy a preocuparme por él? ¿Cómo no voy a ser feliz con su felicidad? Yo me alegro; mejor dicho, me «aprovecho» con las cosas buenas que le pasan. Y sufro con él cuando le ocurre algo malo. Su dolor es también el mío. Yo tenía sentimientos por Beatriz. Y sé que ella por mí también. Lo sé. No tengo ninguna duda. Por eso hacía aquello. Sí, aquello de coger el bolso y salir disparada para el hospital. Ella tenía una gran fortaleza. Pero tenía, al mismo tiempo, la fragilidad de la edad. Cuando uno es mayor cree que está capacitado para todo. Para aguantar carros y carretas. Para enfrentarse a todas las vicisitudes de la vida. Seguramente eso no es del todo cierto. Pero tú vas y te lo crees. Tú sacas fuerzas de donde sea. Te creces, te envalentonas y te conviertes, ante los tuyos, en Supermán.

Siempre digo: que sufra yo, pero que no hagan daño a mi hija. Lo digo yo y lo dice cualquier madre, cualquier padre. Que me hagan a mí lo que quieran, pero que a ella no la toquen, que no la rocen, que ni se acerquen. Ni a mi hija ni a nadie de los que son mi gente. Tengo la sensación de que voy a defenderme mejor que ellos. Y digo sensación, porque en el fondo seguramente eso sea un error. ¿Por qué?, pues porque tengo la misma capacidad que pueda tener mi madre o mi hermana. Pero, en realidad, es simplemente ese impulso que te entra de protección. Es tu manera de decir: aquí, sí, aquí estoy yo. Aunque después de todo, tú eres una mierdecilla que vales para lo que vales. Y tal vez valgas para muy poco.

Bueno, estaba con el añito que llevo. Un sin parar de malas noticias. Un ir y venir, desde entonces, cada diez días a un tanatorio. Y una se pregunta: ¿qué es esto? ¡¿Qué puto año es este?! Carlos, un conductor que a veces me lleva a los sitios, me preguntaba:

—Adónde vamos.

—Al tanatorio.

—¡¿Al tanatorio otra vez?!

—Sí, hijo, otra vez.

—Me parece horrible.

—Pues a mí también.

Cuando pasa una semana, ya me empiezo a poner nerviosa y a preguntarme: ¿a ver qué toca ahora? Sé lo que muchos piensan de mí. ¡Cómo no lo voy a saber! Conozco perfectamente la imagen que puedo dar. No es la mejor del mundo. Pero, sobre todo, no es la real. La verdad es muy diferente. Soy una persona muy sentimental. Me afectan muchísimo las cosas. Todavía ayer estuve en el velatorio de mi querida Paloma Gómez Borrero. Llevaba sin ver a su marido 24 años. Y de golpe me vinieron a la cabeza los maravillosos días vividos junto a ellos en Roma. Y recordé a Paloma; la recordé como la magnífica compañera que fue durante tanto tiempo. La recordé con la nostalgia de que ya no vas a compartir con ella momentos inolvidables. En fin, que esta es una espiral imparable. Es la nostalgia de la puñetera muerte.

Hablaba hace un momento de la imagen que doy. Aunque yo hablaría más bien de la que no doy. Por ejemplo, en este momento profesional hemos hecho un trabajo con *Las Campos* que genera mucha, muchísima, controversia. Tú haces las cosas con ilusión. Y de pronto, descubres que la gente ve una maldad, una intención, en algo que para nada es así. Es muy frustrante. Y doloroso. Así que no te queda más remedio que hacerte una pregunta: ¿Qué proyecto? Y añades otra: ¿Cómo he podido proyectar esto? Y te empiezas a comer el coco. Les das vueltas a las palabras, a cada uno de los planos, a todos esos comentarios. Sí, es un ejercicio de autocrítica. Intentas buscar el origen de todo eso. Incluso tratas de entenderlo, de justificarlo, porque yo soy mi peor enemiga. Siempre. En contra de lo que muchos piensan, no soy nada autocomplaciente. Y menos con mi trabajo. Aunque también he de decir que con el paso de los años y la exposición mediática, creo a veces que los hay peor que yo. Antes pensaba que no hay nadie peor conmigo que yo misma. Ahora pienso que hay gente más mala que yo. Me refiero en cuanto a ataques contra mi persona. ¡Vamos que si la hay!

¡Claro que he tenido que haber hecho daño a alguien! ¡Claro que he tenido que haberles ofendido! Ojo: pero nunca con una intencionalidad. No podría vivir actuando con esa predisposición. No podría dormir por las noches. No podría levantarme pensando «voy a hacer esto para así conseguir aquello». No podría salir a la calle. ¡No! Ni sé hacerlo, ni quiero aprender. En ningún momento digo que yo sea mejor que los demás. Es más: probablemente ni lo sea. Simplemente que no quiero añadir a mi vida algo que no forma parte de mi personalidad. En ese sentido sé que hay gente que siempre ha pensado que soy una soberbia. Lo han confundido con otra cosa: con una premeditación, con una conciencia, de saber que lo que tú digas puede hacerles mucho daño a otras personas. Insisto: no soy mejor que nadie. Pero no sé ser de esa manera oscura y fea. ¿Podría aprender? Probablemente. ¡Pero es que no quiero! No sería yo. Quiero serlo. Y serlo incluyendo mis defectos; mis muchos defectos. Lo contrario no sería mi vida: sería una desgracia.

Por eso soy cero rencorosa. Nada. En absoluto. En ninguna circunstancia. De ninguna manera. Rencor, ninguno. Yo no podría vivir en ese estado inquietante, vengativo y agotador del «¡Te la guardo!». No puedo. Es más: no me cabe. A lo mejor yo me enfado con alguien, que eso sí que es muy mío, y a los cinco minutos voy y digo: «oye, menuda tontería». Y te olvidas de lo que ha pasado. Y echas una risa. Y sigues como si no hubiera pasado nada. En realidad no ha pasado. Esa manera de ser se la debo a mi madre. Se me dibuja una sonrisa en la cara al acordarme de las cosas que mi madre me decía sobre esto cuando era niña. Ella no me ha enseñado a odiar. Me refiero al odio con mayúsculas. No: ella no es así. Por lo tanto, a las personas que me hayan podido hacer daño a lo largo de mi vida, en el aspecto profesional o en el personal, a esas, nunca he desarrollado hacia ellas un sentimiento de odio. ¡Jamás he vivido de esa manera! Y es lo que me importa enseñar a mi hija. Educarla fuera del odio, lejos de la venganza, apartada del rencor. Fundamentalmente por una cuestión: porque entonces no podría avanzar en la vida.

Vivir así, con esa negatividad, es quedarte estancado. Es como si fuera un freno que te impide ver más allá, ir más allá. Es un obstáculo para desarrollar otros aspectos de la persona que son importantísimos. Al menos, lo son para mí: la generosidad, la empatía... Aclaro que no quiero vivir en los mundos de yupi, en un planeta de gilipollas, porque no lo soy. Me gusta discutir, debatir; me gusta ese partido de pin pon en el que pueden convertirse las palabras; disfruto con sus recovecos, con la agudeza de alguien que, de repente, suelta algo brillante. Y aprendes. Y te enriqueces. Pero una cosa es tener rock and roll y otra vivir con esa cosa tan fea dentro de ti. Fea, no: ¡feísima!

Ver las cosas de esa forma pone en alerta, en ocasiones, a gente que me advierte: «¿No ves que esa persona te está haciendo daño?» Ya, de acuerdo. Pero también soy capaz de saber cuándo esa misma persona te quiere. O sea, me quiere. Lo pongo todo en la balanza y me quedo con el momento bueno. Es una cuestión de egoísmo. ¡No, no es qué buena y qué santa quiere ser Terelu! No. ¡Que nadie se equivoque! Es una postura egoísta porque a mí me hace más feliz eso que lo otro. ¡Ojo! Busco lo mejor para mí. Aquello con lo que pueda vivir sin sobresaltos. Y disfrutar más. Y que me haga estar más cómoda, menos tensa. Busco la paz.

Es una manera de protegerme, aunque creo que estoy en el momento de mi vida más indefenso. Me remito a los hechos, a una realidad que está ahí y que está ahora, sin ir más lejos, aquí. Esto que estoy haciendo, esta confesión en voz alta, es una manera de quedar desprotegida. Cuando uno se desnuda siempre da armas a sus enemigos. Bueno, a los que se han empeñado en ser tus enemigos. Claro que también creo que al que no te quiere le da igual lo que digas. Le da exactamente lo mismo que si te callas. Ese siempre va a estar en contra. Siempre va a buscar algo para hacerte daño. Va a afilar tus palabras o tus silencios, para intentar darte donde cree que duele y causarte mayor dolor. Y a veces tienen, lo reconozco, muy buena puntería.

¡Somos todos tan imperfectos! Por eso, el que te quiere dar, va a encontrar siempre algo donde rascar, donde arañarte para hacerte pupa. Y si es posible, para que sangres por la herida. Así que aprendes a convivir con eso. Con ellos. Hay cosas que puedo intentar controlar. Otras no. Eso lo descubrí hace mucho tiempo. Lo descubrí cuando entré en el mundo de la tele. Me di cuenta de que hay cosas que no están en tu mano. Cosas que no dependen de ti. Y no lo vas a poder evitar. Por lo tanto tienes que asumirlo, echártelo a la espalda como una mochila. O tratar de evitarlo el máximo posible. Tratar de que no te duela tanto. Yo no puedo impedir que mañana salga alguien diciendo un pedazo de mentira sobre mí. Un pedazo, y una mentira entera. No está en mi mano detener eso. ¡No tengo ese poder!, aunque la gente piense lo contrario.

Ese tema me agota. Me cansa. Me refiero al supuesto poder de las Campos. ¡Ja! Y a veces lo dicen como escupiendo, como vomitando cada una de las letras de cada una de las palabras: Campos y poder. «¡Claro, porque como ellas pueden...!» ¡Pero qué dices! ¡De qué estás hablando! ¡¿Hablas de mí?! ¡¿Hablas de mi madre?! ¡No tienes ni idea! ¡Ni repajolera idea! Yo he aguantado lo más grande. Entendiendo lo más grande como lo más bajo. Como lo peor. Como lo más indigno. Pero también como lo más equivocado. Los que dicen ese tipo de cosas tienen un desconocimiento supremo de mi vida. ¡Ojalá hubiera tenido poder en muchos momentos de mi vida! ¡Sí, un poco, solo un poco de poder para evitar el daño que he llegado a padecer! ¡El daño que tanto me ha hecho sufrir! No, queridos, no: de poder nada. No es verdad. No lo es, aunque os empeñéis en pregonarlo a los cuatro vientos, en lanzarlo como globos para que algo quede en el aire. Entiendo que eso es lo que vendo. Pero entended que eso es rigurosamente falso.

MI GRAN PATRIMONIO

Tengo dos apoyos fundamentales en mi vida: la familia y los amigos. Esas son las dos cosas que me hacen ser una persona afortunada. La familia la tienes, y a mí me ha tocado la mejor. Pero a los amigos los he elegido. Y ellos me han elegido a mí. Es como esos tratados políticos: un asunto bilateral. O como el amor: una cosa de dos. Mis amigos son mi gran patrimonio. Les debo más que al banco. Que ya es decir... Son los que me arropan cuando lo necesito y los que me agitan cuando hay que darme un meneo. Y por supuesto me regañan cuando es conveniente. Por eso, porque los adoro, porque son tan valiosos para mí, tan imprescindibles; por eso, digo que me molesta si alguien los ningunea. A veces hablan de ellos y de ellas creyendo saber cómo son. No tienen ni puta idea. Creen que están ahí por ser quien eres, en el sentido de que haces un trabajo de cara al público. Esa sería, por cierto, la lectura más suave que hacen algunos. No sé a quién subestiman más: si a mis amigos o a mí. Me molesta cualquiera de las opciones. Me ofende que abaraten algo tan importante en la vida como es la amistad. Pero ellos, erre que erre: una, es decir yo, está en una posición de superioridad; y los otros, es decir, mis amigos, son incapaces de ponerle, o sea, de ponerme, los pies en la tierra, de criticarme, de señalarme lo que hago mal. ¡Qué risa! No saben quiénes son mis amigos. Y, por lo tanto, no saben quién soy yo.

Son precisamente mis amigos los que me dicen: «¡Has estado fatal! ¡No has acertado en esto o en aquello!» Mis amigas tienen la libertad —y la usan, vaya si la usan— de ponerme a caldo: «Te has columpiado en este tema, no has estado bien en este otro... Espabila, hija, espabila.» Por eso son mis amigos: porque son libres de decirme lo que piensan de mí. Puedo asegurar que si no fuera así, no serían mis amigos. Quiero esa amistad sin cortapisas. Una amistad con todas las consecuencias.

Sí, tengo muy buenos amigos, pero, ¡ojo!, también me los trabajo. Si nos vemos un día a la semana y me he comprometido a ir, pues claro que voy. Por muy cansada que esté, soy incapaz de quedarme tirada en el sofá, de no arreglarme. Mis amigos son las personas que me importan. Son los que están en mi vida, con los que me desahogo. Con los que me divierto. Los quiero junto a mí. Los quiero en mi vida. Son lo que podríamos llamar relaciones de ida y vuelta, en el sentido de que ellos confían en mí y yo en ellos. Cuando tengo un problema, mis amigas se llaman entre ellas: «Oye, que Terelu tiene un problema, vamos a verla.» Y llegan a tu casa y te preguntan qué te pasa y te aconsejan por dónde tirar y te dan un abrazo o te quitan la razón. Esas son mis amigas. Pero es más fácil decir que ellas son mis palmeras.

Esa es la gente que me conoce de verdad. Ellos saben que tengo mis altibajos. ¡Cómo no iba a tenerlos: soy virgo! Por lo tanto, soy cuadriculada y flageladora. Tengo un día bueno, se me acerca alguien, y yo me abro. Pero cuando toca el día malo me pongo una barrera. Ese día no me quiero dar. Quiero tener el derecho de darme, de entregarme, cuando lo siento. No cuando lo quieren los demás. Me parece más honesto, más sincero, que cuando lo intentan los otros. Me pasa con frecuencia: hay días que, de repente, me veo en una animada conversación con alguien que no conozco de nada. Otros, en cambio, no me veo capacitada para hacerlo. Es como si me cerrara. Como si echara la persiana para que no pase ni el aire ni la luz. Creo que, en cualquier caso, no es ningún delito. No está uno igual todos los días del año. Ni siquiera todos los años...

Afortunadamente, no está una siempre igual. De lo contrario la vida sería muy monótona. Nuestras imperfecciones es la propia sal de la vida. Incluso las que te llevan a darte un solemne y sonoro hostiazo.

También es verdad que algunos somos más propensos a eso: al vaivén, a la montaña rusa. Algunos somos emocionalmente más cambiantes, más de hacer piruetas con los sentimientos, de jugadores de ruleta apostando por la carta más alta. De ahí que conozcamos la ruina y la gloria, el cielo, los charcos. De ahí que a veces asomas por las fotos con el lado amable y otras que dejas ver el perfil menos favorecedor de ti misma. Y es que igual que me doy, dejo de darme. Sí, en cuestión de segundos. Pero eso es por algo. Eso puede ser también tu condena, la coartada para ahogarte sin que se manchen las manos de sangre. Se quedan solo con eso, con el lado menos amable de tu vida. Te exprimen hasta dejarte únicamente con el zumo más amargo. Y es entonces cuando me pregunto si todo lo demás, todo lo que he hecho bien, no tiene ningún valor. ¡¿No lo tiene?! Pues, no. Es una pena, pero es así; así de injusto.

Y yo las injusticias las llevo muy mal. Son las cosas que logran sacarme de mis casillas. Ahí es donde sale mi peor polaroid, el ángulo menos brillante, el tono más sombrío. Pero es de pura frustración. De impotencia. Cuando alguien dice que has dicho, que has hecho, que has estado en tal lugar, pero tú sabes que no es verdad, tú sabes que no has dicho eso, que no lo has hecho, que jamás has estado ahí, cuando tú sabes todo eso, digo, y no encuentras las armas para defenderte, cuando tu maldad no está a semejante altura, entonces te invade la angustia, la tristeza y la mala uva. Y esa mezcla es muy peligrosa. Esa es una mezcla explosiva.

DEL PARAÍSO AL CALVARIO

Mi vida cambia un mes de diciembre de 2011. Hacía tan solo cinco meses había iniciado una relación con una persona seis años más joven que yo: Carlos Pombo. Al mismo tiempo tengo en proyecto hacer un reportaje para la revista *Interviú*. Es decir, yo quería estar lo mejor posible para la revista y para él, un hombre que, por cierto, se cuida mucho. Así que ahí me ves poniéndome a punto, machacándome para no defraudar a mi nueva ilusión. Ni a los lectores. Aquello no podía salir mal. No podía fallar. Por fin poso para *Interviú* en septiembre. Le pido al fotógrafo, Víctor Cucart, empezar por lo peor, por lo más complicado: la portada. Puesta a tirarme al vacío, lo hago sin red y con un doble salto mortal con tirabuzón.

Aquello empieza conmigo horrorizada, con un ponte así y ahora un ponte asá. Yo estaba en medias. Pero, sobre todo, yo estaba temblando. Y, además, sin sujetador. Hasta que Víctor me enseña la foto y digo: «¡Anda, pues está bastante bien!» Eso me dio confianza. Especialmente porque yo nunca quiero ver el resultado, ya que no me voy a encontrar ni siquiera aceptable. En este caso, cuando vi la primera instantánea, me gustó. Todo, pues, estaba en orden: novio nuevo y debut en *Interviú*. Nada podía salir mal. Pero las cosas, en cambio, estaban a punto de salir fatal.

Carlos me dice que va a pasar unos días a Hawái. Va a celebrar allí su cumpleaños y él, piloto de Iberia, me invita a unirme al viaje en cuanto mi trabajo me lo permita.

—¿Por qué no vienes?

—¡¿Sola!?

—Sí.

—¡Ni hablar!

Ese era el plan: viajar sola como la una. Cruzar el mundo para encontrarme con él. Hombre, el muchacho merecía la pena, para qué vamos a engañarnos, pero yo me sentía incapaz. Además Hawái tenía un problema añadido: no se puede fumar en ningún hotel. Que no, que no voy. ¡Puedo vivir sin Hawái! Pero tal vez, en ese momento, era más agradable vivir al lado de Carlos. Y me fui. Claro que me fui.

Antes de llegar, ya empezaron los problemas. La verdad es que yo hablo penosamente el inglés. Me cuesta entenderme. Máxime si tienes que hacerlo con un policía del aeropuerto de Los Ángeles, que me para en seco al mirar mi pasaporte y me espeta muy secamente:

—¿Por qué ha estado usted en Moscú?

Y yo temblando le respondo:

—Por turismo...

Estábamos en 2011, no en la guerra fría. Nunca sabré cuál era el problema de haber estado en Rusia.

Por si fuera poco, en ese momento, aparece un grupo de españoles:

—¡Terelu, una foto!

Y cuando van a sacar el móvil, completamente asustada les pido aterrada que no lo hagan.

—¡Por favor, guardad el teléfono que este tío nos lleva a Guantánamo!

Me da tal ataque de nervios que me pongo a llorar. Se me acerca un chico español y me dice que no me preocupe, que él viene conmigo hasta la terminal. Quien sea que fueras: gracias. No te puedes imaginar lo que valoro esos minutos a mi lado. Ese día, esperando embarcar en el avión que me llevaría a Hawái, yo no paraba de hacerme una pregunta: ¿Qué hago aquí con lo cagona que soy?

Pero lo hice. Ya sé que es una tontería, pero para mí era importante. Estaba orgullosa de haberlo conseguido. Ya estaba en Hawái: nada, no me fascinó nada, todo sea dicho de paso. Me entró la vena pragmática. Y cuando me pasa eso no hay fantasía posible. Así que en lugar de decir «¡Oh, qué bonito!» o de quedar extasiada mirando el paisaje o de deshacerme en elogios por las maravillas del lugar, lo que dije fue bien distinto: «Me he venido al culo del mundo para ver un agua que no es nada para tirar cohetes.» En cambio, cuando tú vas aquí a Menorca o a Formentera, se te caen las lágrimas de la belleza de sus playas y de su mar. Sinceramente, para pasarme una tarde en la calle central de Honolulu visitando tiendas de Luis Vuitton y de Prada, para eso me quedo en casa. ¡Con todo lo que hay en Madrid! Y encima el hotel con un montón de fotógrafos a la puerta. Me preguntaba para quién eran. Y ellos mismos me lo aclararon:

—Para ti.

El señor de la hamaca, me decía:

—¿Usted quién es?

Y yo me contesté a mí misma:

—Eso, ¡quién soy yo!

Yo no voy a Hawái para ver escaparates. Yo voy para ir a la playa. Solo que pensaba que la playa era otra cosa. Una cosa más tranquila. ¡Pero llego y me encuentro con cinco mil personas! Cinco mil almas, entre las que había alguna española. Lo sé, porque de repente oigo en un inconfundible castellano el grito de «¡Terelu!». Y me digo: «¡no puede ser! No puedo haber venido desde tan lejos para encontrarme con esto, para encontrarme con el eco de mi propio nombre».

Más de uno, bueno, más de dos... estarán pensando: «Qué cateta es la pobre...» Que piensen lo que quieran. Después de un viaje largo siempre he dicho que nosotros tenemos tantas cosas en España... ¡Y tan preciosas! Te vas a Galicia, a Cantabria, al País Vasco, y te encuentras ese mar espectacular, esas aguas bravas, impresionantes. Si quieres aguas más cálidas tiras no solo para las islas: también las encuentras en la costa de Valencia. Y no digamos ya mi Málaga... ¡ay! Así que me pongo práctica, sopeso todo, y llego a una conclusión: prefiero darme la vuelta a España que ir a muchos sitios, por muy Hawái que se llamen. Quede clara una cosa: por supuesto que hay que ver otras culturas, hay que conocer otras gentes, otros mundos. Pero en el sentido de disfrutar, somos los que mejor lo hacemos. Tenemos un concepto del ocio, de la diversión, de la siesta —de la siesta para poder seguir— maravilloso. Que sí, que ya lo sé, que el agua es preciosa en Isla Mauricio, adonde fui de viaje de novios con Alejandro, pero no lo cambio. ¡Anda que me voy a meter catorce horas de avión! ¡Para qué! ¿Para llegar a una cabaña en el agua? Ni de coña.

Ya de vuelta a Madrid, como soy una persona muy concienciada, estando en la cama palpo el pecho y noto algo raro, algo que no sabía lo que era. Pero estaba segura de una cosa: eso yo no lo tenía. Inmediatamente llamo a mi ginecóloga, Rocío Ruiz Jiménez.

—Tengo un bulto.

—Vente mañana.

Era el 17 de diciembre de 2011. Las cosas, a partir de ese instante, ya nunca iban a ser igual.

¿FELIZ 2012?

Me gusta ir sola a los médicos. Sola, sin nadie. Sin mi madre ni mi hermana. Y allá me fui, a ver a mi ginecóloga y amiga. Lo primero que me dice es que me va a hacer una biopsia, que me van a anestesiar. Y me ponen unas grapas. Sí, unas grapas porque ese es el sonido: el de una grapa. Es un «clac», solo eso, pero nunca lo vas a olvidar. Un «clac» entrando en la piel y en el cerebro y en cada rincón de tus pensamientos. Un «clac» que es el inicio de una banda sonora de hospital, un «clac» que es como una trompeta anunciando un día en el que intuyes algo oscuro en el horizonte. Y te sientes fenomenal... ¡Y una leche! ¡Te sientes aterrada! Para empezar porque intuyes que cuando se vaya la anestesia aquello va a doler sin compasión. Y así pasó. El dolor es como si te estuvieran matando a bocados por dentro. Como si te clavaran un colmillo.

Después de unos días, voy a por el resultado. Abro la puerta y le digo a Rocío:

—A ver, ¿cómo de malo es?

—Malísimo, hija. Malísimo.

En ese momento se me pasó de golpe la vida. Lo primero que pensé era cómo se lo iba a decir a mi hija, a mi hermana, a mi madre... Pero sobre todo a mi hija. ¡Ay!, mi querida hija... A continuación vino el cirujano que me iba a operar a principios de enero. Era el 22 de diciembre. Estábamos en plena Navidad. Tenía que pasar esas fiestas sabiendo lo que tenía. Y tomé una decisión: callar mi preocupación.

Solo se lo dije a Carlos. Ni siquiera a mi hermana. Pero a quien entonces era mi pareja no se lo podía ocultar. Él sabía que estaba de médicos. Así que le conté la verdad. Y añadí una palabra:

—Vete.

—¿Qué bobada estás diciendo?

—Que te vayas. Llevamos seis meses y a mí me queda un calvario.

—No te voy a dejar.

—No te mereces esto. No sé qué va a pasar.

Y se quedó.

Al encontrarme con el doctor Díaz Miguel quiero dar una imagen de fuerte, de echada para adelante. Así que muy envalentonada le digo:

—Doctor, si me tiene que quitar el pecho, fuera, ¡y ya está!

—Ay, qué graciosa... Si tuviera que quitártelo, lo hago y punto. No es que tú me tengas que dar permiso —añadió, sonriendo—. En principio no tiene que ser así. Por lo pronto te operaremos y luego tendrás que recibir quimio y radioterapia.

Pero yo seguía dándole vueltas a la cabeza: si me quitan el tumor y el ganglio centinela no está tocado; es decir, el más próximo al tumor, difícilmente lo va a estar el de atrás, porque no ha pasado por esa cadena. Se lo suelto así, metiéndome seguramente en camisa de once varas, jugando a los médicos. Pero no era ningún juego: era un cáncer. Y fue Díaz Miguel el que acabó de quitarme cualquier duda:

—El protocolo dice que con tu edad hay que darte quimio y radio.

—¡¿Quimio de la que se cae el pelo?!

—Sí.

Ese fue otro de los peores momentos. Hasta entonces yo pensaba sí, que tenía un tumor, pero me lo quitan y si no ha afectado nada, pues ya está. No. Me esperaba un tratamiento hasta reventar. Ese era el panorama. Pero yo seguía callada. La Navidad seguía y yo no soltaba prenda. Me preguntaba, eso sí, cuándo sería el mejor momento para decirlo. Naturalmente no lo encontraba. Pero una cosa tenía clara: hasta después de las fiestas no iba a abrir la boca.

Y llega la Nochevieja. Lo celebramos en casa de mi madre. Todo el mundo estaba feliz: mi familia, Rocío Carrasco, Fidel Albiac... Todos brindando por el próximo año. ¡Feliz 2012! Y nos abrazábamos y nos besábamos y chocábamos las copas... ¡Feliz 2012! Fiesta, alegría, buenos propósitos... ¡Feliz 2012! Y mi madre cogiéndome y diciéndome:

—¡Hija, ya verás qué año más bueno!

—Claro, mamá...

Y yo por dentro muriéndome de miedo.

—¡Feliz 2012!

Y yo siguiendo a coro el deseo de todos los demás.

—Sí, seguro que va a ser así... ¡Feliz 2012!

Pero estaba tan asustada... En toda la noche no paraba de pensar en mi última conversación con el médico. En la respuesta ante la pregunta del millón que le había hecho.

—¿Me podré curar?

—Sí, pero vamos a abrir y, claro, no hay ninguna certeza.

Así estaba yo aquella noche en que todos nos miramos a los ojos, alzamos nuestras copas y lanzamos la última frase del año: ¡Feliz 2012!

LOS RESTOS DEL NAUFRAGIO

Pasa el día de Reyes y yo seguía muda. Pero cada vez faltaba menos tiempo para el día de la operación: el 18 de enero. Carmen, mi hermana, tenía que ir a su reconocimiento con Rocío, nuestra ginecóloga. Le dije que la acompañaba. Entramos en la consulta y en ese momento, mi pobre hermana, que piensa que está allí por ella y que comprueba que su revisión ha salido bien, recibe la noticia.

—No, Carmen, cariño, no estamos aquí por ti. Esto es por mí.

—¿Qué dices? —me pregunta ya con la cara desencajada.

—Sí, que tengo un tumor y por la biopsia parece que es bastante malo.

Ya cojo carrerilla y se lo suelto todo rápido, como si quisiera quitarme del medio algo que me venía martirizando desde hacía varios días.

—Me tienen que operar, me tienen que dar quimio y radio y...

Mi hermana aguantando el tipo como podía, sacando fuerzas de cada rincón de su cuerpo, pasando aquel trago para el que no estaba preparada. Luego me dijo:

—¿Por qué no yo? ¿Por qué no me pasa a mí en lugar de a ti?

Eso me conmovió. Y en el fondo la entendí: es lo que haríamos cualquiera cuando le pasa algo a la persona que queremos.

La siguiente en decírselo tenía que ser mi madre. Era jueves y me operaban el lunes siguiente. No me quedaba más remedio que soltarle la bomba. Ella acababa de estar en *Sálvame*. Llego a su casa. Nunca se me olvidará: eran las ocho y media de la tarde. Estaba ya en la cama viendo la tele. Subo las escaleras diciéndome a mí misma que se lo tengo que decir. ¡Uff!, me emociono cada vez que pienso en la pesadilla que viví. No tenía más opción y se lo dije sin llorar, no como lo hago mientras lo recuerdo:

—Mamá, tengo que contarte algo.

Ella debió de intuir que no eran buenas noticias.

—¿Qué pasa? —me preguntó alertada.

—Pues que en una revisión me han descubierto un bultito que me tienen que operar. Es malo pero me voy a curar.

La cara de mi madre iba palideciendo por momentos. Pero yo quería descansar de una vez, decirle la realidad de la situación, aunque intentando suavizar las palabras.

—Estoy muy tranquila, mamá. No tengo miedo. Estoy en buenas manos. Me voy a poner bien.

Y le añadí el resto de detalles. Ella llorando me preguntó:

—Pero... ¿quimio y radio también?

—Sí, mamá. Es lo mejor. Hay que protegerme.

Salgo de la habitación con Carmen, pero al regresar mi hermana se la encuentra en un estado de desesperación, dándose puñetazos y gritando: «¡A mi hija, no; a mi hija no!»

Mi hermana no sabe cómo pudo calmarla, pero cogiéndola por los brazos, intentó serenarla:

—Mamá, así la vas a asustar. Tenemos que estar con ella.

Solo quedaba mi hija.

—Alejandra, quiero hablar contigo.

Se lo cuento. Hacía pocos días había empezado la campaña de Ausonia, en la que aparecía una chica con un pañuelo en la cabeza. La pregunta de mi hija fue muy directa:

—¿Mamá, lo tuyo es como lo de Ausonia?

No le podía mentir.

—Bueno, hija, y si fuera no pasa nada. Hay tratamientos para que me ponga bien. Lo que quiero es que estés tranquila.

Cuando te dan la primera sesión de quimioterapia te dicen que a los quince días se te caerá el pelo. Tú tratas de ser optimista y dices, bueno, a lo mejor a los veinte... ¡Mentira! A partir del día trece o catorce ya coges los mechones de pelo con las manos. Y, claro, tenía que decirle a Alejandra que me iba a pasar eso.

—¡El pelo, no, mamá, el pelo, no! —me decía llorando.

—Alejandra, luego eso crece.

—¡No, mamá, por favor...!

—Cariño, no hay más remedio.

Entro en el quirófano el 18 de enero de 2012. Encuentran pocas células afectadas. Pero, aun así, hay que empezar con la quimio y la radioterapia. Te vas a dar la primera sesión y quieres saber qué te va a pasar. Escuchas tantas cosas... Cada persona es un mundo, un caso independiente. Intento verlo desde el lado positivo, intento convencerme de que todo saldrá bien. No obstante, también empiezas a pensar en los posibles problemas: ¿se me caerá el sistema inmunológico? ¿Me tendrán que ingresar? Todas esas dudas se las traslado al doctor Francisco Lobo, mi oncólogo, a quien estoy tan agradecida por su seriedad y rigor; pero también por sus momentos de comprensión, de afecto, de cariño. Por no alarmarme y por tranquilizarme, que es lo que más necesitas en esa situación. Tienes que vencer como sea a un enemigo invisible, silencioso: el miedo.

Tengo claro que no quiero que mi madre esté todo el día en el hospital. No quería que me viera así. La conozco. Sé que va a estar dándole vueltas a la cabeza. Por eso, a las tres de la tarde le pedía que se fuera a comer y que no volviera. Como tampoco quería que mi hija lo pasara mal, lo que ideé fue un plan perfecto: Carmen se queda conmigo a dormir. Alejandra se iba con mi madre. Eso estaba arreglado. Ahora había que esperar los efectos de la operación.

Y ya fuera del hospital voy a ponerme la primera inyección del tratamiento. Al acabar y levantarme, me hago una solemne pregunta:

—¡¿Qué coño me ha pasado?!

La sensación es la misma que si un camión te pasara por encima. La buena noticia es que ese camión no me ha matado. Yo no podía tocar nada con las manos del dolor tan espantoso que sentía. Eso sí, a las veinticuatro horas era otra persona. Me sentía mucho mejor. El calendario era el siguiente: el martes quimioterapia, el miércoles inyección, el jueves un cadáver y el viernes salía a cenar. Había días que en plena cena creía morirme. Creía que no iba a poder continuar. Pero me obligaba, sí; me obligaba a salir. El plan era apasionante en cuanto a bar se refiere: agua, Coca-Cola y cerveza cero-cero. Yo nunca he tomado cerveza. Pero aquellos días la cero-cero hacía que me sintiera como una persona normal.

Me doy la primera quimioterapia. Nada más y nada menos que cinco horas. Da igual: como si tengo que estar cinco semanas sin moverme de ese sillón que se va a convertir, durante una temporada, en una especie de diván al que le irás contando sin palabras todo lo que sientes, todo lo que te imaginas: cada uno de tus sueños, cada una de tus pesadillas. Va a ser tu compañero de viaje, el reposo del guerrero en que te conviertes luchando contra ese inesperado mal. Aquel sillón de color blanco, con sus brazos enlazando los míos, con su respaldo acogiéndome como para que no me desanimara, es testigo de todo lo que me pasaba por la cabeza. Incluso de las cosas más inconfesables.

Mi cirujano me lo había dicho sin tapujos:

—El tumor es muy, muy malo. Tiene un componente horrible, pero afortunadamente tiene un tratamiento específico. Dura un año y tendrás que venir cada veintiún días.

Ese tratamiento lo descubrió un científico. Gracias a él han salvado la vida muchas mujeres, incluida yo. Por cierto, recomiendo un corto de cómo se produjo el hallazgo de esta eminencia internacional. Ahí se aprecia el momento en el que da con la fórmula, pero también el sufrimiento que le produce, cuando lo aplica, el ver cómo salva a unas mujeres y a otras no puede porque no tenía los medicamentos suficientes. Cuenta en primera persona el dolor de asistir a esos momentos.

Estaba contando mi primer día de quimio. Fue el 7 de febrero de 2012. Ese día me revoluciono tanto, que me pongo con la regla. Vamos, que no me falta de nada... Al salir del hospital me pregunto qué más me va a pasar. Pues pasa: me dan una medicación, y otra, y otra más. Y me dicen que me tengo que poner yo misma una inyección en la tripa. ¡Jamás lo había hecho! Al levantarme me doy cuenta de que no estoy tan mal, sobre todo teniendo en cuenta toda la dinamita que acababa de meterme. Pero entonces voy a lavarme los dientes, y ahí sí, ahí empiezo a notar los efectos. Es una sensación muy desagradable, como si hubiera llenado la boca de alcohol.

—¿Solo eso? —me pregunta el oncólogo—. Pues dé gracias a Dios, porque eso es lo menos que le puede pasar.

Quienes hayan pasado por lo mismo reconocerán ese momento en el que la lengua queda sembrada como de pompitas pequeñas. Cuando comes, todo te sabe a plástico, a metal. Pero casi me parece una frivolidad comentar esas cosas: ni por un segundo olvido que soy una afortunada.

Pero cuando estás en pleno proceso, todo te parece más complicado. Por ejemplo: cuando se me cayó el pelo. Le pedí a Ángel Luis, el peluquero de Telecinco, que me rapara completamente la cabeza. He de decir que la cadena se portó conmigo extraordinariamente. El departamento de maquillaje y peluquería me dieron todo su cariño, su apoyo y solidaridad. Pusieron a mi disposición una sala aparte. Y allí me puse la peluca por primera vez. Fue uno de los peores momentos de mi vida.

Ese día que aparezco en televisión con la peluca, se me cae el mundo encima. Quiero salir corriendo, morirme. No quiero hablar, ni que me enfoquen ni dar pena con eso puesto en la cabeza. Me sentía tan insegura, tan frágil... «¡Qué vergüenza! ¡Todo el mundo me va a señalar por llevar una peluca!» Si no trabajara en la tele, no tengo claro que me hubiese puesto la peluca. Posiblemente no. Pero yo no podía salir así en pantalla. Eso hubiese generado un morbo del que no estaba dispuesta a participar.

Ese bajón duró poco. Luego ya me convertí en una cachonda de la peluca. Empecé a aplicar una fórmula infalible: el sentido del humor. Iba a casa de mis amigos y lo primero que hacía era quitármela y ponerla en la tulipa de las lámparas. Recuerdo que se me muere mi Pedro Rodríguez, mi adorado Pit, y nos reunimos todos con sus hermanos, Belén, Javi y Fernando, en casa de Yolanda Purón. Estaban todos los compañeros que Pedro tenía en la productora Cuarzo, y delante de ellos la cogí y la puse en una tulipa. María Patiño me diría más tarde una cosa enternecedora: «El día que hiciste eso ganaste mi respeto.» Pero es que yo no podía estar ahí, en un momento de tanto dolor, con esa cosa puesta.

Lo malo llegaba cuando tenía que salir al plató de *Sálvame*, y por tanto tenía que ponerme la jodida peluca. Ese tul, ese pegamento; todo eso que por mucho que trates de disimularlo se ve a cien kilómetros... Recomendación a las mujeres que tengan que pasar por esto: las pelucas con flequillo. Eso tapa el tul y, por lo tanto, no hay que pegarla tanto. La mía no fue nunca de pelo natural. Con todo mi respeto a las que sí la llevan: pesan mucho y cuesta una cantidad obscena de dinero. Pagar eso me parece un crimen, sobre todo cuando se usa por necesidad. Hay que dar una solución a la gente que no quiere que la vean calva por la calle y que la gente se vuelva para mirarla. Yo llegué a acumular cinco pelucas. Eso y los pañuelos los doné para que lo aprovecharan otras personas. Ahora, con la muerte de Beatriz, le he pedido a Alejandro sus pelucas para cederlas a quienes las necesitan. Su respuesta fue contundente:

—Ahora mismo. Ella te lo hubiera agradecido mucho.

Finalmente, un día ya me quité esa prótesis. Mi pelo había crecido un centímetro. El verano estaba a punto de llegar y no estaba dispuesta a aguantar esa tortura con cuarenta grados al sol. Y recomiendo a todas que, en cuanto les salga un poco de cabello, que manden a freír churros a la peluca. Psicológicamente es muy liberador.

Lo que nunca me cuestioné fue el trabajo. Recuerdo mi primera aparición en el *Deluxe*. Salí sin peluca y con el pelo cortísimo y dije esto que nunca olvidaré. Se lo «robé» a una canción de mi admirado Enrique Bunbury: «Aquí estoy con los restos del naufragio.» Pero me sentía libre. Era yo. Había vuelto. Vuelvo a recuperar lo que, en el fondo, nunca dejé de ser. Me sentía pletórica. Y Carlos Pombo jugó un papel decisivo. Yo pensaba en su familia: conoce a una tía mayor que él, que trabaja en la tele, que nos van a hacer fotos, que tiene una hija, que tiene un cáncer de mama y que, por si fuera poco, se va a quedar calva. Vamos, ¡un chollo de novia! Y, sin embargo, el comportamiento de él y de su familia fue tan maravilloso, me sirvió de tanta ayuda, de tanta compañía, que solo tengo palabras de gratitud.

Siempre dije que no quería ser una enferma. Era, simplemente, una persona que tenía una enfermedad. Y trataba de que, en lo posible, no condicionara mi vida. Y elegí no ser una enferma. ¡Ojo! A eso tiene que ayudarte tu cuerpo. Tu mente puede mandarte a trabajar, pero como tu cuerpo no te responde, no puedes hacer nada. Aunque hay que intentarlo. Sé que cuesta, pero hay que intentarlo. Muchas veces me han pedido ayuda para alguien que la necesitaba. Y no he tardado ni un minuto en levantar un teléfono y llamar a esa persona que no quiere salir de casa:

—Hola, soy Terelu. Sé cómo te encuentras, pero también sé que no te quieres arreglar, ni salir a pasear o a trabajar. Cariño, eso no puede ser.

Si he podido echar una mano aunque sea a una sola persona, ha merecido la pena. La voluntad es muy importante en la recuperación. Yo la tenía. Al principio me pasó algo muy curioso: yo decía que estaba fenomenal, pero el psicólogo me paraba los pies.

—Cuidadito, Terelu, con esta enfermedad. Es más gordo de lo que puedas imaginar.

—¡Pero si yo estoy fenomenal!

Y creía que era verdad. Psicológicamente no me había afectado nada. Hasta que un día te da un zarpazo, y entonces reaccionas: «No estoy como yo pensaba.»

Queda poco para llegar a la fecha que supondrá que, oficialmente, ya no soy una enferma de cáncer. Y me darán el alta del tratamiento en junio de este año. Pero ahora tengo más angustia que antes. Me siento como un atleta que va corriendo y dice: «Todavía me faltan cuarenta kilómetros, y llevo solo dos.» Pero cuando te quedan solo tres kilómetros piensas que tienes que hacer el esprint final. Y te entra una extraña inquietud, un nuevo miedo, una incertidumbre precisamente por la poca distancia que falta para alcanzar la meta: «A ver si ahora no voy a llegar.»

A pesar de todo, el haber vivido una enfermedad como esta te hace sentirte muy orgulloso. Descubres que aquello que tú pensabas que serías incapaz de hacer, o que no estás preparado, pues que estás equivocado. Estamos listos para hacer cosas inimaginables. Lo perfecto, lo maravilloso, es que no te ocurra, desde luego; pero si te pasa notarás un orgullo muy íntimo. Yo, por ejemplo, estoy orgullosa de que mi cuerpo haya estado a la altura: algo habré tenido que ver en esa resistencia. Mi actitud de lucha, de creer a pie juntillas en los médicos, ha sido fundamental. He sido positiva. Estoy convencida de que he ayudado a mi cuerpo, a que todos esos tratamientos, tremendamente duros, los he digerido mejor por una visión positiva de la enfermedad. Y cuando me preguntan:

—¿Qué tienes ahí?

Yo siempre respondo lo mismo:

—Una cicatriz de guerra.

Cuando uno va a la batalla y lucha contra ese enemigo que es la enfermedad, tiene que llevar a gala sus cicatrices. Y en ese momento piensas que, en realidad, eres mejor de lo que pensabas. Y están los demás. ¡Cuánta gente ha estado a la altura! ¡Cuántos han podido demostrarte lo que te quieren, lo que te respetan! Lo que significas para ellos. Ese es el mejor regalo. Y no hablo solamente de mis amigos; hablo de ese público que ha rezado por mí, que me ha llevado en su pensamiento, en sus oraciones. Hablo de esa gente que ha sufrido contigo, que ha sido feliz cuando tú has recibido una buena noticia al saber que todo iba bien. He llegado a llevar diecisiete medallas puestas. Ni una menos. Son los tesoros de las personas que se preocuparon por mí. Por eso lo guardo como si fuera el botín de un barco medieval, como si no hubiera nada en este mundo más valioso. Llevo esas medallas cogidas en un imperdible, dentro del bolso. No solo por protección. No. Por algo más: por agradecimiento. Sí, un agradecimiento infinito a todos los que, aunque sea un solo minuto de su vida, se han preocupado por la mía. En el dedo anular de mi mano izquierda llevo un rosario con un crucifijo que me trajo una señora de Lourdes. Nunca me lo he quitado. Hay veces que se pone negro, pero no lo suelto: tiene mucho significado. Si abres la funda de mis gafas te encuentras un montón de estampitas. Todo viene de esa época, de ese momento que me cambió la vida.

En Málaga sale una hermandad el domingo de Ramos, Nuestra Señora de la Salud, de la cual soy hermana. Pero no conocía a sus componentes. En el proceso de mi enfermedad estoy un día en el hotel y se presentan dos señoras: Mari Pepa y Toñi. Dicen que me traen una cosa de la Virgen. Y, entonces, me sacan un pañuelo de hilo, maravilloso, y varias cosas más de Nuestra Señora de la Salud.

—Este pañuelo ha estado en el pecho de la Virgen durante tu tratamiento.

Aquello me dejó impactada. Y sumamente emocionada. Desde aquel día tengo una relación de amistad con las dos, especialmente con Mari Pepa. Todos los domingo de Ramos yo estoy en Málaga. Hay un momento, durante el recorrido, en el que el hermano mayor me permite el privilegio de meterme debajo del manto de la Virgen, con los hombres, y llevarla durante un buen rato. Coincide que está en la misma iglesia que el Cautivo, la de San Pablo en el barrio de la Trinidad. Y así puedo ver a los dos.

Por una parte, yo creo que valoro cosas que antes no valoraba, porque soy consciente de la fugacidad y de la fragilidad de todo; pero por otra parte creo que no: no puedes vivir con ese miedo. El miedo no te lleva a ningún buen sitio. El miedo es muy peligroso.

Lo que sacas en limpio de una experiencia así es que no te mande la vida lo que puedas aguantar: te sorprenderías. Lo que aprendes es a relativizar más las cosas: «Esto es una chorrada, y no merece la pena este mal rato por semejante idiotez.» Eso te repites a ti mismo. Aunque, para qué nos vamos a engañar, después cometes las mismas estupideces. Pero no, no hay que torturarse con algo que hoy puede ser muy trascendente, muy dramático, porque mañana ya ni te vas a acordar.

Como dice Bunbury: «Un momento se va y no vuelve a pasar.»

¡QUÉ TIEMPOS TAN FELICES!

Hoy me ha dado por mirar fotos de mis primeros años. Y cuando las veo me reafirmo en algo que siempre he pensado: he sido una niña feliz. No recuerdo, entonces, que tuviera grandes problemas. Ni frustraciones importantes. Nada. Yo era una canija normal y corriente. Sin traumas. Sin sufrimientos. Sin reproches. Todo iba bien. Quiero decir que todo iba normal. La vida, en aquella época, estaba por llegar. Y llegó. Con todas sus consecuencias.

Vivía en una familia de clase media; digamos, acomodada. Mis padres trabajaban en la radio. Y trabajaban mucho. A mis compañeras de clase cuando llegaban a casa las estaba esperando su madre. A mí no. Yo no sabía lo que era eso. No sabía lo que era entrar por la puerta y que aparecieran mi madre o mi padre corriendo por el pasillo para abrazarme. No sabía lo que era escuchar sus voces, gritando mi nombre, cuando volvía del colegio. De ahí que yo me sintiera una niña diferente. Ojo: diferente;

no rara. No una niña triste. No una niña poco cuidada. Para nada. Lo único que tenía claro es que mi vida no era como la del noventa y nueve por ciento de mis amigas. Ellas tenían a sus madres en casa y a sus padres en el trabajo. Yo tenía a los dos en la radio. Pero, sobre todo, los tenía muy cerca desde el corazón. Era como si me estuvieran acompañando pese a la distancia. Y por eso yo me sentía una niña muy querida. Y por eso, digo, fui una niña absolutamente feliz.

El primer recuerdo que tengo de un hogar es en la calle Carretería, número 42, de Málaga. Era un tercer piso, alquilado, sin ascensor y con una peculiaridad: era una casa redonda. ¡Sí, juro que aquella casa era redonda! Cuando lo decía la gente me miraba con cara de horror, de extrañeza, como si para sus adentros estuvieran pensando una cosa: esta niña es tonta del culo. Lo que quieran. Como prefieran. Como si me llamaban de lo peor. Yo no me bajaba de la burra. Yo decía: si entro por una puerta, doy la vuelta y vuelvo al mismo sitio, está clara la forma de mi casa. No tenía ninguna duda: era una casa redonda.

Cuando mis padres tenían algún acto por la noche se quedaba con nosotras alguna hermana de mi madre. Sobre todo mi tía Concha. Mi hermana y yo teníamos a una persona que nos cuidaba y a la que no se lo poníamos nada fácil a la hora de comer. Éramos un desastre. Supongo que para aquella mujer nosotras fuimos su pesadilla. Su peor pesadilla. Ella nos daba de comer en la cocina. Bueno, al menos lo intentaba. Nos sentaba en, como decimos los andaluces, un «poyete»; o sea, una encimera.

La cosa se complicaba si en ese momento entraba por la puerta mi madre. Entonces aquella pobre señora ya entraba en fase de desesperación.

—¡No entre, no entre! —le gritaba a mi madre.

—¡¿Por qué?!

—Porque si ya comen poco, van a comer menos.

Nunca supe si hacía aquello por fastidiar a mi madre o porque, realmente, dejábamos de comer en ese instante. Aunque, la verdad, nuestro apetito daba para un menú escaso, muy escaso: sopita, puré y poco más. ¡Ay... cómo cambian las cosas! En fin, que Carmen y yo éramos cualquier cosa ante una mesa, menos una: buenas comensales. Lo nuestro tenía un nombre: impresentables.

Comidas aparte, estaban los afectos. No recuerdo a mi padre como una persona especialmente cariñosa. Pero tampoco era un hombre arisco. Era, simplemente, muy serio. Sin embargo, mi madre era extremadamente cariñosa. Y lo de extremadamente es literal: se ponía pesada hasta decir basta. Venga a cogerme, a achucharme, a comerme a besos. Venga a decirme lo mucho que me quería, lo guapa que me veía, lo importante que éramos sus hijas en su vida. Lo dicho: muy pesada. Claro que donde las dan las toman: ahora yo tengo una hija maravillosa, pero nada cariñosa. Cuando era más pequeña y la llevaba al colegio por las mañanas yo veía que todas las niñas le daban un beso a su madre. Todas, menos una: la mía. Yo tenía que rogárselo.

—Alejandra, un besito.

Y mi hija se volvía, como quien olvida el abrigo o los libros y tranquilamente me contestaba:

—Ah, es verdad.

Y así me besaba mi hija: a regañadientes.

Pero estaba hablando de otra niña. Estaba hablando de cuando yo lo era. Y no recuerdo ni a mi padre ni a mi madre yendo a buscarme a la salida de clase. Pero lo recuerdo con suma naturalidad. No supuso entonces, y menos aún ahora en la lejanía, ningún tipo de trauma. Era mi abuela la que nos iba a buscar al autobús del colegio. Y era ella la que, a continuación, nos llevaba a una tienda de ultramarinos. Allí nos compraba un bollito de pan y cien gramos de jamón de York. Pienso en aquellos momentos, en aquel bocadillo que nos daba mi abuela, y vuelvo a emocionarme. Su ausencia es muy grande. Han pasado muchos años, pero la tengo tan presente... Y en mi memoria, ahora, aquella merienda no la cambio por el mayor manjar del planeta. Era algo suculento, inolvidable. Era la merienda de mi abuela.

Tuvimos una tata, María, que se murió de cáncer a los 53 años. Era una mujer siempre vestida de negro. Una mujer que seguramente no tuvo una vida amable. Y pese a eso, no nos faltaba una sonrisa de ella. La adorábamos. Y nos encantaba que nos llevara a su casa, en el Bulto. Una casa que, nunca se me olvidará, tenía dos camas nada más entrar. Recuerdo que me llevaba a la panadería a comprarme una palmera de chocolate. Solo de pensarlo me entran unas ganas enormes de tirarme en plancha sobre un pastel. Que no... que es broma.

A otra chica que también nos cuidó le hicimos la vida imposible. ¡Qué trastos éramos! Una vez se lo hicimos pasar muy mal. Para secar la ropa había que subir a la azotea a tenderla. Y un día que ella estaba colgando la colada, nosotras cerramos con llave la puerta de la casa. Al bajar, la pobre mujer nos llamaba desde el descansillo:

—¡Niñas, abridme!

Y nosotras, nada. Nosotras a lo nuestro. Disfrutando de aquella pequeña maldad, mientras aquella chica seguía insistiendo con tono angustiado.

—¡Abridme la puerta, niñas!

Cuando vio que aquello no tenía solución, fue a casa de la vecina, Doña Trinidad, que vivía con su hija, Pilarín, y llamaron a mi madre a la radio. Le explicaron que nosotras estábamos dentro de la casa y en la cocina se estaba haciendo la comida, con lo cual era bastante peligroso dejarnos solas. Mi madre llegó volando. Estaba muy preocupada porque nos oía jugar detrás de la puerta, pero nosotras seguíamos en nuestros trece.

—Niñas. Que soy mamá: abridme...

No había manera. Nosotras nos habíamos hecho fuertes. Con seis y cinco años nos creíamos las dueñas del mundo; al menos, de aquel pequeño mundo, en el que una cazuela seguía al fuego, mientras dos gamberras nos atrincherábamos detrás de la puerta. No teníamos ninguna intención de ceder. Entonces mi madre tomó una decisión contundente: llamar a los antidisturbios; es decir, a mi abuela.

—Niñas, abrid... que soy la abuela.

Y como si de pronto sintiéramos una procesión de tanques del ejército, como si por las ventanas estuvieran gritando que venía un tsunami sobre nuestras cabezas o un manojo de misiles desde el mismísimo infierno, Carmen y yo nos cuadramos ante la presencia de la abuela. Fue mano de santo: abrimos a toda pastilla.

Teníamos, pues, una vida normal con nuestras travesuras. Bueno, hubo algún sobresalto. Pero entonces ni idea de lo que estaba pasando. Me refiero al cartero. Cuando el autobús del colegio volvía para recogernos después de comer nosotras bajábamos por el pasamanos del edificio. Y coincidía con la llegada del cartero. Era eso: una coincidencia. Pero lo era solo supuestamente. La realidad es que aquel señor, mientras nosotras hacíamos el descenso, dejaba con una mano la correspondencia en los buzones y con la otra tocaba algo que no sabíamos lo que era. Efectivamente, era eso. El cartero se tocaba sus partes. Se estaba masturbando, aunque yo, con siete años, ni me imaginaba la escena en cuestión. Así que los padres de los niños, al enterarse, se plantaron en la parada del autobús: querían matarle. Hoy, aquel hombre, habría sido condenado. Era, claro está, un pederasta. Otra cosa bien distinta era Manolito, un compañero del colegio de El Atabal, en el que estuve hasta los siete años. Manolito tenía una manía: levantarnos las faldas a las niñas. Manolito tenía una evidente obsesión: vernos las bragas.

Comíamos en el colegio. Y nunca se me olvidará el menú diario. Lo puedo recitar de carrerilla. Como una oración. Como si acabara de repetirlo doscientas veces. Como si no se me atragantara con el simple hecho de recordarlo: lunes, sopa de fideos; martes, sopa de arroz; miércoles, patatas amarillas —sí, amarillas—; jueves, arroz con tomate y el viernes el acabose: lentejas. Yo decía:

—¡Estas lentejas tienen ceniza!

¡Y claro que sabían a ceniza: se les pegaban siempre! Luego estaba la merienda. No tenía desperdicio: pan con mantequilla, pan con fuagrás, pan con chocolate... Sí, la merienda era el pan nuestro de cada día.

Al pasar a las Teresianas empecé a aficionarme a los platos de cuchara. Judías, garbanzos... El problema llegaba con la huerta: detestaba la lechuga y el tomate. Hay cosas que, el tiempo me lo demostraría, no cambian con los años... O que una es fiel. Absolutamente fiel. Sí. Por lo menos a las rarezas de la infancia. Pero ya entonces apuntaba condiciones. Así que el babi blanco, impoluto, con mi nombre primorosamente bordado, planchado con esmero, puesto cada mañana con el olor a estreno y a limpio, pues aquel babi, digo, había que cambiarlo continuamente: sus bolsillos eran como el contenedor al que iban a parar los restos de lechuga y de tomate. Eran el anticipo de que lo mío no iban a ser las ensaladas. Aunque, ojo, deberían de serlo...

Yo era una buena alumna. Y digo «era» porque, como tantas otras cosas de mi vida, aquello no fue así para siempre. Duró quince minutos. De repente me convierto en un monstruo. Llego a BUP y me encuentro con las repetidoras. ¿Qué hice?, pues hacerme amiga de ellas. Lo pasaba genial. Aunque, para qué vamos a engañarnos, esa situación era directamente proporcional a mis malos resultados escolares. Mi futuro, en ese momento, era incierto. Pero mi presente era mejor: lo estaba pasando de perlas.

Tengo muy claro que si viviera en Málaga, llevaría a mi hija a las Teresianas. En aquella época era, en mi opinión, lo mejor que te podía pasar: unas monjas sin hábito que te daban una educación muy avanzada. Eran unas monjas modernas. Incluso, cuando hice la Primera Comunión llevaba un traje corto. El largo era de otra época. Y de otro colegio. Aquellas religiosas eran diferentes a las demás. Y, probablemente, nosotras también.

Pero, como digo, al llegar a BUP me convierto en un ejemplo nada gratificante. Hasta entonces yo había sido una niña tímida, vergonzosa, como muy calladita y muy obediente. Les contesto a los profesores y empiezo a fumar. En esa época me crearon muchas inseguridades, porque se reían mucho de mi hermana y de mí. Íbamos las dos vestidas igual, de la mejor tienda de Málaga, El Moisés. Mi madre nos ponía un pantaloncito de lana, azul celeste, con la camisa de cuadros y el jersey a juego. Eso, con perdón, marcaba alguna diferencia. Y por eso, también, he tenido que aguantar el cachondeito de mis compañeras. Lo que es la vida: hoy soy amiga de las que me ridiculizaron, de aquellas niñas que me hicieron sentir tan mal. El paso de los años no nos ha separado; al contrario: hemos conseguido mantener esos lazos de afecto. Cuando he ido a Málaga a rodar *Las Campos*, allí estaban ellas para apoyarme. Eso ha sido para mí algo muy grande en mi vida. Muy grande.

Mi padre siempre fue más permisivo que mi madre. A la hora de llevar las notas a casa, por ejemplo, si eran malas, solo de pensar que tenía que entregárselas a ella, me ocurría una cosa: estar acojonada. He llegado a tener notas de insuficientes. Bueno, y de muy deficiente en más de una ocasión. Eso sí, en gimnasia era un hacha: sobresaliente. Pero, sí he tenido calificaciones bajas. Y muy bajas. Y mi madre se ponía de los nervios:

—¡Eres mala!

Y mi padre, añadía:

—¡Qué sinvergüenza... la monja!

También tengo que decir que si, por ejemplo, yo llamaba imbécil a mi madre, él me paraba los pies:

—¡¿Qué has dicho?!

—Nada, papá. Nada.

Me moría de miedo. De hecho, cuando me convierto en ese monstruo de las Teresianas, me quieren echar del colegio. Mi madre estaba ya en Madrid, así que llaman a mi padre. Y ahí él estuvo muy firme. Y a mí me entra la risa del pánico que estaba pasando. Y cuando ríes y lloras el gesto corporal es el mismo.

Mi padre a gritos:

—¡Llora, llora, sinvergüenza!

Pero yo me estaba partiendo el culo de risa. Pero sobre todo de miedo.

Fuera de esa etapa, yo no me he portado mal durante mis primeros años. Nos decían que teníamos que estar a las diez de la noche en casa, y yo llegaba un cuarto de hora antes. Vamos, una santa. A mi hermana le decían que a las diez y cuarto, y ella se presentaba a las diez y media.

—¡¿Qué horas son estas de llegar?! —le decía mi padre.

¿Qué hacía Carmen? Pues pasar. Sí, pasaba totalmente. Y eso que mi padre, en esa época, era el encargado de hacernos la cena y no le gustaba que se quedara fría.

Yo le decía:

—Carmen, ven a la hora que te dice. —Y al día siguiente, mi hermana llegaba a las once. Y yo pensaba... «¡La mata, la mata!»

Vamos, ni un empujón. Mi padre jamás nos puso la mano encima.

Empecé a fumar a los catorce años. Había un baño en la casa —un ático—, que daba directamente a una terraza. Y allí me encerraba a darle al cigarrillo como una posesa, con la compañía de un bote de desodorante Fa, que era lo que entonces se llevaba. El Fa tenía, lógicamente, una misión: acabar con el olor del tabaco. Pero mi padre, que cuando se ponía en plan poli era único, me decía desde afuera:

—El humo sale por debajo de la puerta...

Y yo me tiraba una hora más dentro, incapaz de atreverme a salir.

También me acuerdo cuando me llevaba a las verbenas del Club Mediterráneo, en Málaga. Llegaba yo con un vestido de color rosa, como de tela india, que se complementaba con unos calcetines de canalé y unos tacones. Era lo que tocaba. Hoy, solo de imaginarlo, lo que toca es salir corriendo ante semejante imagen. Pero, a lo que iba: mi padre me acompañaba hasta dentro. Me pedía una Coca-Cola y un paquete de Fortuna.

—No fumes de nadie.

—No, papá.

—¿A qué hora te recojo?

—Cuando tú quieras, papá...

Esa era una diferencia fundamental con mi hermana: a ella la recogían a las tres. A mí a la hora que quisieran.

Es decir, a la una y media ya estaba en mi casa. Yo, naturalmente, era una tontorrona. Bueno, digámoslo con menos ñoñería: yo era una soplagaitas.

Una cosa tengo clara: para mi madre yo era la más débil de las dos hermanas. Y, lo que es la vida y diga lo que diga Carmen, la situación ha dado completamente la vuelta a la tortilla. No es ni bueno ni malo. Ni mejor ni peor. Es, simplemente, una realidad. Al menos lo veo así. Ahora yo soy una persona capaz de comerme mis problemas. A mi hermana, en cambio, le pasa algo y llama a mi madre. Yo eso no lo hago. Pero, insisto, son meras formas de ser.

Yo no era una mala alumna. No. No era una estudiante de sobresalientes, pero sí era una niña muy responsable. Sabía perfectamente mis obligaciones. Y eso, digan lo que digan, no lo he perdido con los años.

La relación con mi familia paterna era absolutamente normal. A mi abuela no la conocí, pero sí a mi abuelo, José María Borrego. A nosotras nos gustaba llamarle el abuelito Pepe. Él iba a comer muchas veces a casa con mi hermana y conmigo. Recuerdo una peculiaridad muy suya: en lugar de pan, acompañaba los platos con una manzana cortada en trozos. Y había un sillón amarillo: ese era el sillón del abuelo. Los sábados nos traía un chicle Cheiw o un paquete de Sugus envueltos en un billete de cien pesetas para cada una. Y de pronto, un día, el abuelo no va a comer. Mi abuela materna nos lo dijo: «Está muy malito.» Le había dado algo al corazón. Unos días después murió de un paro cardiaco.

Años después de aquello, mis padres me daban ciento cincuenta pesetas para el fin de semana. Así que con las cien de mi abuelo yo era capitán general. Nosotras no éramos conscientes de que era mucho dinero. Y, para ser sincera, no recuerdo en qué me lo gastaba. Pero seguro, muy seguro, que me lo gastaba. Sí, tienes toda la razón: como siempre...

Las noches de mi infancia transcurrían en el cuarto de estar, sentada en un sofá marrón con flores: lo más en aquella época. Y un día mi padre nos lo trajo a casa. Sí, se presentó con él y todos nos quedamos con la boca abierta. Estábamos embobados mirándole, casi con miedo a tocarlo. Sí, allí estaba nuestro primer televisor en color. Un Telefunken inmenso, casi más grande que el que tengo ahora en mi habitación. Habíamos dejado atrás el blanco y negro. Ahora teníamos una pantalla en color. Y yo me quedaba extasiada viendo *El hombre y la tierra* con todos sus tonos, con los matices de aquellos bosques y de la piel de los animales. Y veía también *Hombre rico, hombre pobre*. Y me quedaba extasiada hasta que una voz rompía el hechizo:

—¡Niñas, a la cama!

Y entonces yo me ponía las manos en la cara y abría los dedos para verlo. Nunca imaginé que algún día yo estaría ahí. Sí, en una pantalla de televisión. Una pantalla, como aquella, en color. Pero ahora ya, con alguna sombra.

La primera vez que mis padres se compraron un piso yo tenía diez años. Eran mediados de los años setenta. Nos cambiamos al paseo de Sancha, número 20. Les costó cinco millones y medio de pesetas. En esta casa ya teníamos calefacción, dormitorio con baño... Vamos, que aquello era todo un acontecimiento. Y todo un lujo. Y un despliegue de comodidades. ¡Ah!, y algo llamativo: el cuarto de la música. En las casas que hemos vivido con mis padres siempre estaba esta famosa habitación. Así que en este nuevo domicilio, mi hermana y yo dormíamos en una cama nido. Cada noche había que sacarla para que nos pudiéramos acostar las dos. Mientras, la música, tenía un cuarto para ella sola. Un cuarto lleno de discos, de canciones. Era como el hilo conductor con el trabajo de mis padres: la radio. Y en este momento, cuando miro hacia atrás, no puedo evitar una cierta nostalgia. Y en ese cuarto suena, ahora, una música triste. Una música que, otra vez, me hace llorar.

MI PADRE, UN GRAN DESCONOCIDO (TE PERDONO, PAPÁ)

Tengo una extraña sensación: mi padre, mi propio padre, es mi gran desconocido. Por su manera de ser, por sus circunstancias, nunca se abrió, desgraciadamente, a lo que le estaba ocurriendo en su vida. Por eso, ahora, con la perspectiva de la edad, confieso que es alguien que no llegué e conocer. Al menos, no llegué a conocerlo en profundidad, con su realidad, con todo lo que estaba pasando por su cabeza. Con todo lo que, seguramente, estaba sufriendo. Nunca supe cómo era su existencia verdadera, qué preocupaciones tenía, cuáles eran sus tormentos. Ni siquiera llegué jamás a descubrir o participar de sus alegrías. Esto que cuento me produce una pena infinita, una pena que me hace daño, pero es la pura y cruda verdad.

Creo que José María Borrego, mi padre, tenía muchos sinsabores acumulados. Y nosotros no pudimos descubrirlos jamás. Tenía una susceptibilidad extrema. Como si hubiera que medir las palabras para no herirle. Eso sí: era un hombre absolutamente correcto. Nunca viví una situación violenta en mi casa. Nunca escuché gritos. Ni, por supuesto, insultos. Quizá mi madre, que le conocía sus posibles reacciones, evitaba escenas de tensión. Tampoco es que aquello fuera una balsa. Ni el edén. No. Evidentemente he visto alguna discusión entre ellos. En ese caso, mi padre siempre adoptaba la misma postura: la de víctima.

—Como yo no lo hago bien, me tengo que quitar de en medio...

Esas palabras sí que forman parte de mi vida. El simple hecho de recordarlas me produce dolor. Mucho dolor. Se han escondido en algún lugar de mi memoria. Probablemente en ese lugar al que solo llega lo que de una forma indeleble te va a marcar para siempre. Así que, mi madre, para que nadie nos sintiéramos incómodos en aquella casa, para que pudiéramos disfrutar de un clima de armonía, se callaba. Sí, mi madre tomó una decisión: el silencio.

Mis padres vivían en el desamor. Pero también en el respeto. Era un matrimonio que nunca se separó. Jamás. Incluso iban juntos a todos los lados. Aparentemente no pasaba nada. Pero estaba pasando, aunque yo he sido una niña feliz. Sí, una niña muy feliz con un recuerdo complicado. En aquella casa, como digo, nunca se vivió ninguna situación violenta. Pese a que mi padre era una persona compleja. Él no era un hombre fácil. Y yo era una hija que le adoraba. Él a mí, no tengo ninguna duda, también.

Mi padre practicaba el tiro de pichón. Por eso había una escopeta en casa. Además, tenía una pistola. Es decir, en aquella casa había armas. Yo era consciente de ese tema. Tenía trece o catorce años, y sabía que en mi casa había una escopeta y una pistola. Y si de pronto se producía una discusión intrascendente, por algo totalmente ridículo, me preocupaba saber que allí estaban aquellas armas de fuego. Eso desembocaba, a veces, en estrés y ansiedad. Nosotros no necesitábamos ninguna escopeta. Ni ninguna pistola.

Mi madre era una mujer dedicada exclusivamente a su trabajo, a sus hijas y a su marido. Una mujer con una vida absolutamente transparente. Y, sin embargo, mi padre siempre tenía como un complejo de inferioridad ante ella. Él era una persona muy valiosa profesionalmente. Un hombre reconocido por sus compañeros, con una magnífica carrera en su trabajo. Pero, claro, mi madre era quien era: una estrella de la radio en Málaga.

En el fondo, mi padre se sentía orgullosísimo de su mujer. Pero a la vez, por sus complejos, el triunfo de ella le creaba muchos demonios. Se transformaba en una persona insegura, en alguien que sufre sin poder evitarlo. Como también sufría, en consecuencia, mi madre. Ella, para que no se desmoronara la estabilidad familiar, ha tenido que aguantar muchas cosas. Sí, mi madre soportó muchas injusticias que mi padre provocaba en la convivencia familiar. Ella hacía un equilibrio de contención para que, aparentemente, la vida, nuestra vida, transcurriera con normalidad.

A mi padre no le gustaba salir en las fotos. Lo que le gustaba era hacerlas. Por eso siempre aparecemos mi madre, mi hermana y yo. Posando los cuatro creo que no hay ninguna. Él nos encuadraba con su tomavistas como el retrato de una familia incompleta, porque él se quedaba detrás. Pero se preocupaba de que nosotras estuviéramos maravillosas.

Cuando yo nací mi padre tenía un Dolphin, con el que íbamos los cuatro a Santander a ver a mi tío Manolo. Los cuatro y algo más... un orinal, por si yo, que apenas había cumplido un año, tenía ganas de hacer caca. Luego vendría un Seat 850 verde y después un 132: ese fue su último coche.

Siempre he pensado que, por encima de todo, mi padre era una buena persona. Su problema era que estaba atormentado por sus inseguridades, por todo aquello que le impedía ser un hombre feliz. Y tenía muchos motivos para serlo.

Él transmitía los toros y los partidos del Málaga.

—Papá, llévame al fútbol.

—¡Una mujer en el fútbol!

Cuando con dieciséis años vengo a Madrid, lo primero que hago es meterme a las ocho de la tarde en el Estadio Santiago Bernabéu y no salgo hasta las doce de la noche, porque había un partido de semifinal y otro de finales. Y voy, también, por primera vez a los toros. Mi padre nunca me había llevado ni a un sitio ni a otro. Si hubiera sido un hombre, habría comido hierba.

Y eso que había sido él quien me despertó ese interés por las dos cosas. Y por el boxeo. A mi padre le encantaba. Así que, seguramente algo resignado, en alguna ocasión no pudo callarse:

—Y me ha tocado dos niñas...

Sí, las niñas de un hombre alto y grande. Está claro que ninguna de las dos hemos salido a él. Qué le vamos a hacer...

Lo que sí nos enseñó fue a jugar a las cartas. Fundamentalmente al póker. Modestia aparte: mi hermana y yo sabemos mucho de póker porque mi padre fue muy buen jugador. Nunca pisó un casino. No: él organizaba las partidas los domingos en casa, con sus colegas y su familia. Y ahí, en ese plano, lo recuerdo tranquilo. Relajado. Luego estaba lo de Navidad. Me explico: en esa época del año, Radio Juventud de Málaga solía obtener muchos beneficios. Y entonces la dirección de la emisora de radio donde trabajaba mi padre llevaba a sus empleados con toda su familia al Hotel Holiday Inn, frente al aeropuerto. Allí, los reyes magos nos traían regalos a los niños. Era un día muy bonito. Y él, con los mayores, se ponían a jugar al póker desde las doce de la noche hasta las siete de la mañana. Y mi madre, mientras, protestando. Pero eso lo hacía una sola noche al año. Y del año que había beneficios.

Años después a mi padre le hacen una oferta y se va a la Cope. También se lo ofrecen a mi madre, y así entran los dos en aquella emisora. Y al cabo de unos años, también regresan los dos a Radio Juventud. Allí mi padre era jefe de emisiones y, como tal, era el jefe de mi madre. Por supuesto, era el encargado de establecer los turnos de los empleados. Su mujer no gozaba, lo puedo asegurar, de ningún tipo de privilegio por esa circunstancia. Y la obligación de ser puntuales no excluía a nadie. Absolutamente a nadie. Mi madre siempre dice que hemos salido a mi padre en el sentido de responsabilidad en el trabajo. Al que llegaba dos minutos tarde, mi padre le montaba un pollo monumental. Por eso yo siempre llego a la hora exacta. La puntualidad no es solo cosa de los británicos: lo es también de los Borrego.

El mejor recuerdo que tengo de mi infancia tenía lugar los domingos. Ese era un gran día. Mi madre se quedaba en casa cocinando para nosotros y los abuelos, mientras mi padre nos llevaba a tomar el vermú al bar Pries, muy conocido en Málaga, en el que se han reunido jueces, abogados y toreros. Allí nos subía a los taburetes de la barra y decía siempre lo mismo:

—Eduardo, unos calamares para las niñas. Y una Fanta.

Y me viene el olor de aquellos calamares, el sabor de un ritual de fiesta, el bullicio del bar y de la calle y, de alguna manera, la sensación de tiempo detenido, guardado en la memoria para que no desaparezca; para ver a mi padre una mañana de domingo y escuchar su voz: «Y una Fanta», y notar en esas palabras, en la manera de pronunciarlas, un afecto, un cariño gigante; una necesidad de aferrarme a ese instante como un tesoro, como si ahí estuviera lo mejor de tu vida.

Yo creo que mis padres, al principio, fueron una buena pareja. Luego, mi madre evolucionó. Pero mi padre no. Ella tenía muchas inquietudes, muchas ganas de avanzar. Él se quedó en el mismo sitio, como detenido en el tiempo. Y eso les alejó. A lo que hay que sumar la personalidad de mi padre, la de un hombre muy valioso pero acomplejado y difícil en la convivencia. Mi madre necesitaba seguir creciendo. Mi padre, que tenía cualidades para hacerlo, no me explico el motivo, pero se acomodó. Ella, sin embargo, no quería quedarse parada en el mismo lugar y para siempre.

Un día estaba con mi padre en el coche. Entonces, me armé de valor y le pregunté:

—¿Papá, tú nos quieres?

¡Bueno!, recuerdo la cara de mi padre mirándome espantado, como diciendo «¡¿qué estás diciendo?!».

—Como nunca nos lo dices...

—¡No sé cómo eres capaz de pensar eso! Yo os quiero muchísimo.

Mi madre era todo lo contrario. Muy cariñosa; incluso demasiado cariñosa. Todo el día comiéndonos a besos, diciéndonos que nos adoraba. Mi padre no lo decía. Pero sé perfectamente que, pese a ese silencio, mi padre nos idolatraba.

Cuanto más mayor soy, hay momentos en los que siento un sufrimiento más acentuado por mi padre, porque su personalidad le hizo ser un infeliz. Tenía todo para ser lo contrario: una mujer a la que quería y admiraba profundamente, dos hijas a las que amaba con locura... una vez más no puedo evitar que se me encharquen los ojos. Sí, lo tenía todo, menos paz consigo mismo. Su propia educación le impedía manifestarse y disfrutar de la vida. Él mismo era, lamentablemente, su peor enemigo.

Cuando ya mis padres estaban realmente separados, él viene por primera vez a Madrid. Nunca olvidaré aquel viaje, aquel paseo por la Gran Vía con ellos y mi hermana; aquel refresco que tomamos en la cafetería Nebraska, aquella engañosa normalidad que, tal vez, intentaba creerme para que no se me viniera abajo ese instante de felicidad. Éramos los cuatro juntos. Los cuatro como una piña, como una familia más. Igual que esos padres con sus hijos que nos cruzábamos aquella añorada y soleada tarde. Ni un mal gesto. Ni nada que hiciera sospechar la verdad de lo que realmente estaba pasando. Allí estaba mi madre, tan generosa, manteniendo el tipo para no herir nunca sus sentimientos, para hacer de aquel viaje algo hermoso que recordar, para que nosotras estuviéramos felices, para no estropearnos ni ensombrecer un momento que tal vez nunca iba a repetirse. Y así fue. Nunca se repitió. Pero ese paseo, aquella familia que íbamos caminando por Madrid, como si no pasara nada o como si todo lo que pasara fuera bueno y feliz, todo eso, no lo olvidaré en mi vida.

Y ahora, como siempre que regreso a aquel instante, lloro empujada por una tristeza inmensa, por un vacío irrecuperable. Lloro mientras recuerdo sus palabras de aquel día, sus gestos, la ropa que llevaba. Me rompo a llorar de dolor porque esa fue de las últimas veces que vi a mi padre.

Nosotras estábamos, pues, en Madrid con mi madre. Él era entonces el director de Radio Nacional de España en Marbella. Pese a esa separación, todo transcurría con normalidad. Cuando iba a verle me encantaba, porque yo notaba que mi padre presumía de mí. Sí, se le caía la baba contemplándome, escuchando cualquier tontería que yo le contaba. Y le gustaba que le acompañara a los sitios.

—Tengo que ir a un acto, a una comida de trabajo. ¿Vienes?

—¡Claro, papá!

—¿Quieres para ese día esos zapatos del escaparate?

Y me regaló unos zapatos rojos preciosos, con tiras bordadas. Luego me puse una camisa de tirantes y una faldita corta: sí, en algún momento de mi vida, yo me pude permitir el lujo de la falda corta... Un día me llevó a una fiesta de Jaime de Mora y Aragón y, al verme, dijo:

—No se te ocurra depilarte las cejas: es tu personalidad. Eres tan bonita...

Sí, a mi padre le encantaba. Lo que no puedo —o no quiero— es pararme a pensar qué opinaría de haberme visto trabajando. Eso me causa tanto dolor... He ido y sigo yendo a su tumba. Y confieso que voy a recriminarle lo que me hizo. Papá, no me has visto triunfar, no has conocido a mi hija; te has perdido tantas cosas... Y como me destroza recordar las cosas que él no ha visto, pienso en lo que me he perdido yo. Sí, me he perdido un padre, un abuelo, orgullo. Y me emociono y me desespero solo de imaginarlo. Y si soy sincera le perdono, pero con la boca chica. Hace unos cinco años fue lo que hice: acercarme a su tumba y decirle lo que, tal vez, a él le hubiera gustado escuchar.

—Bueno, te perdono.

Estoy viviendo ese momento tan importante para mí cuando alguien aparece para reventarme un instante de intimidad tan delicado. Por muy conocida que yo sea, no hay derecho a que no se respeten esos minutos que tengo al año para estar con mi padre; para estar a solas con él. Cuando él muere yo tengo 18 años y no soy una persona pública. Creo que merezco esa privacidad. Por eso me convierto en un monstruo cuando alguien quiere hacerme una foto en esas circunstancias; en las circunstancias más personales.

Me aguanto con cosas que no me gustan, pero que me toquen a mi padre me saca de mis casillas. Necesito esa intimidad. Hablo con él, le cuento cosas; sí, cosas de Alejandra, del trabajo. O le pido que nos eche una mano.

—Mamá necesita que la ayudes...

Si mi padre se muere siendo yo famosa, me hubiera tenido que tragar el tanatorio, el entierro... Pero cuando ocurre eso, llevaba treinta y tres años muerto. Muchos años, en los que le he echado de menos en mis dos bodas, cuando nació Alejandra, cuando he tenido algún triunfo profesional, cuando me vino el revés de salud... ¡Ay...! Mi padre está muy presente en mi vida. Según va pasando el tiempo cada vez soy más sensible con su pérdida. Que a los dieciocho años se muera tu padre es un horror. Sobre todo si se muere voluntariamente.

Nosotras tenemos muy claro que mi madre no es responsable de nada. No tenemos ninguna duda de que ella no tiene nada que ver con lo que pasó. Con aquello que pasó.

Cuando él muere, yo estoy en casa de la hermana pequeña de mi madre, mi añorada tía Leli. Me fijo en la cara que pone cuando suena el teléfono y pienso: aquí ha pasado algo.

—¿Qué pasa?

—Nada, que tu padre ha tenido un accidente.

La miro y le digo:

—No, mi padre está muerto.

Y salí disparada hacia el balcón. Me estaba ahogando,

no podía respirar. Me faltaba el aire porque el mundo, en ese instante, me cayó encima. Me cayó como una losa, como el peso de un mal sueño, como si no pudiera escaparme de aquel dolor; de aquel incontenible dolor. Pero en ese momento sí creo que ha tenido un accidente. O prefiero creerlo. Sí, un accidente de coche; eso, eso fue lo que pasó: un accidente de coche. Pero no era verdad.

Me llevan con mi hermana a casa de mi tía Concha. Toda la noche en vela; toda la noche sin dormir, sin dejar de pensar en aquella tragedia que había golpeado nuestras vidas de una forma inesperada, de una manera cruel. Sin piedad. No sabes dónde estás. No sabes realmente quién eres, ni quiénes son todas esas personas que te rodean y te abrazan y te llenan de besos. Y de lágrimas.

La noticia del periódico decía que José María Borrego había muerto como consecuencia de un accidente con su arma. Fueron muy generosos. No había sido un accidente. Pero sí había sido con un arma.

Mi madre llegó de Madrid y nos reunió a las dos en el cuarto de estar de la casa de mi abuela.

—Hijas, os tengo que decir algo.

Y en ese momento, llorando, le dije:

—¡Mamá, ¿lo ha hecho? ¿Lo ha hecho?!

—Sí, hija: lo ha hecho.

En ese instante lo odié. Lo odié con toda mi alma. Con toda mi rabia. Y mi dolor. Y mi amor. Porque yo le quería. ¡Muchísimo! Y no entendía aquello; aquello que nos había hecho a Carmen y a mí, pero también a mi madre. No podía perdonarle que dejara a mi madre como si fuera la culpable de algo. La había puesto a los pies de los caballos. La había señalado delante de sus hijas y de todos los demás como la responsable de lo sucedido. ¡¿Mi madre?! No: mi madre no había hecho nada malo.

—¡¿Cómo nos has hecho esto?! —me preguntaba una y otra vez. Me lo preguntaba cada uno de los minutos que iban pasando. Me lo preguntaba llena de dolor, de desesperación. Hay cosas que crees que solo les pasan a los demás, pero no a ti. Y, sin embargo, la vida te dice: esto te lo doy a ti. Y te hunde. Te hunde, tal vez, para siempre.

Digo que nunca le perdonaré, y también eso, ahora, digo eso con la boca pequeña. Le perdono porque no puedo vivir en el rencor. Claro que le perdono: no soy una persona vengativa. Y mucho menos una hija vengativa. No, no soy de esa manera. No quiero que el odio me arrastre, que me paralice. No quiero que sea mi forma de ser. Ni siquiera mi forma de pensar. Lo que hay que entender, eso sí, es que me duele profundamente por nosotras. Y cuando digo nosotras me refiero a las tres.

Horas antes él estaba aquí. No había ningún sobresalto en nuestras vidas. Mi hermana y yo estábamos en Málaga.

—Carmen, llama a papá y dile que mañana nos vamos con él a Marbella.

Y mi padre dio una respuesta que, en aquel momento, nos pasó lógicamente desapercibida.

—No, espérate, que no me viene bien. Estoy bastante liado.

Y lo siguiente es lo que se sabe. O sea, la historia ocurría con premeditación y alevosía. Sí: llevó a sus compañeros a comer y se fue a casa. Y allí se pegó un tiro.

Fenomenal, ¿no? Yo siento mucha pena; ¡pero mucha pena por mí, que tenía dieciocho años y por mi hermana, que tenía diecisiete! No es fácil convivir con eso. No es sencillo olvidarte de esa gran putada.

Durante mucho tiempo me molestó que no me dejaran ver a mi padre muerto. Con el paso de los años, la verdad es que lo agradezco. Prefiero recordarle vivo. Prefiero quedarme con aquel padre que me llevaba al parque y a tomar el vermú los domingos; aquel padre que me llamaba guapa y me sacó de paseo una tarde de sol por la Gran Vía de Madrid. Y al recordar eso lloro sin consuelo posible. Lloro porque nunca nada podrá devolverme aquellos momentos, aquella felicidad. Lloro porque a lo mejor hoy, más que nunca, lo necesito.

Ya hacía tiempo que vivíamos con el temor de que pasara algo. Pero en silencio, solo con miradas, con algún suspiro entrecortado. Mi padre tenía la pistola en un maletín. A veces mi hermana y yo veíamos que lo cogía y se iba de casa. Y, sin decirnos nada, entre nosotras se palpaba el miedo, el presentimiento de que ocurriera algo terrible. Salíamos a la terraza y lo veíamos alejarse con el coche. Y, a partir de ese momento, el tiempo se hacía lento e inquietante. Éramos dos niñas en una terraza esperando con angustia el regreso de un padre que había salido de casa con una pistola. Y cuando regresaba respirábamos. Era una sensación de alivio. Pero, como se demostró, tenía claro que algún día lo iba a hacer. Y lo hizo.

Siempre me han dicho que mi padre estaba enfermo. No tengo ninguna duda. Por esa razón era imposible que pidiera ayuda. Pero, pese a eso, no puedo dejar de pensar que me desgració la vida de la manera más cruel. Tenía cuarenta y ocho años. Le quedaban muchas cosas por vivir. Y a mí, junto a él, también.

CREYENTE, A PESAR DE TODO

Para mí, la Semana Santa de Málaga es mi padre. De niña y de adolescente nos llevaba a mi hermana y a mí. Y ahí empezamos a fijarnos en los niños; bueno, y luego, con el paso de los años, ya en los que habían pegado el estirón: los chicos. «Me gusta este que lleva el trono», «pues yo creo que ese otro lleva todo el desfile mirándote...». Pura inocencia. Y mucha nostalgia...

Mi hermana y yo, vestidas de nazarenas, sacábamos al Rico en la procesión. Era el momento en que va preso y hay que tocar la campana. Y mi padre, en primera fila, llevando el trono. ¡Eso era la leche! Un momento de mucho orgullo. En aquella época los hombres llevaban camiseta interior. Mi padre se cortaba las mangas para que el peso no le hiciera daño y no se le clavara. En Málaga siempre se han llevado los tronos vestidos de traje. Así que él iba con su camisa blanca, su chaqueta azul marino y su corbata negra o azul. Al día siguiente, toda la zona en la que se había cortado la camiseta amanecía de un color rojizo. Era la consecuencia de las ocho horas de procesión; de aquella procesión en la que nosotras, tan pequeñas, hacíamos el recorrido con el capirote y la ropa de terciopelo burdeos. Eso para mí era muy importante.

Conservo la medalla de mi padre. Años después hay una directiva en la cofradía y mi madre paga parte de la restauración del trono de la Virgen de María Santísima del Amor. Aunque en esa cofradía es más importante el Cristo, que es lo que llevaba mi padre. El Cristo que daba la bendición al preso. Una costumbre que viene de la época de Carlos III, cuando en Málaga hay una epidemia de tifus y no hay quien saque al Cristo. Entonces la gente que estaba en la cárcel se ofreció a llevarlo para, al acabar, regresar a la prisión. Por eso, cada año, se libera a un preso.

La directiva del Rico siempre ha sido estupenda conmigo. Incluso llegaron a imponerle la medalla a mi hija: para mí eso es importantísimo. Luego llevó otra directiva que le valieron otras cosas, en las que no voy a entrar porque sería darle alas a gente que no se lo merece. Ese ha sido uno de los grandes daños en mi vida, que prefirieran a una persona que para mí, como ellos sabían muy bien, suponía un dolor tenerlo allí, cuando esa cofradía había significado tanto en mi familia. Ha sido algo muy duro. Muchísimo.

La medalla de mi padre está siempre frente a mí, no de espaldas, en mi dormitorio. Cuando en mi familia ha habido algún enfermo en un hospital, allí estaba esa medalla. Por eso me resulta doloroso que alguien haya preferido comerciar antes que respetar nuestros sentimientos. Pero, cada cual que duerma bien con su conciencia. Yo la tengo muy tranquila. Cuando en esa cofradía necesitaron apoyo económico, allí estaba mi madre. Y mi padre llevaba más de veinte años muerto.

Yo conservo la maza. Y he de decir que siempre tuvieron la amabilidad de que tocara la campana del Cristo para que entrara en la Casa de la Hermandad. Siempre agradeceré infinitamente a esas personas ese gesto. Más que por mí, porque en definitiva era un gesto hacia José María Borrego. Y yo lloraba mucho porque para mí eso era lo más grande. Y luego lo convirtieron en algo que... en fin, que lo que quiero dejar bien claro es que mi padre ha dado mucho a esa cofradía. Por tanto, merecía un respeto. Ojo, no lo merecía yo: lo merecía mi padre.

Cuando ahora sacan el trono me hace mucha ilusión que todavía quede algún miembro de mi familia vinculado a algo tan importante para mí. Y me asomo al balcón y no puedo reprimir y gritar:

—¡Te como, te como!

Claro que me gustaría recuperar una cosa tan valiosa y que pertenece a mi vida. Pero, desde luego, no a cualquier precio.

Todo esto me devuelve a la infancia, a aquel recorrido, larguísimo, del Rico. Llegábamos a la Aduana, que es donde se libera al preso, y de ahí nos íbamos a cenar, dejando, mientras, los dos tronos plantados en mitad de la calle. ¡Así, con dos... bemoles! Y ahí nos ves a mis padres, a mi hermana y a mí comiendo pescadito, sentados tranquilamente en la mesa, mientras el Rico y la Virgen quedaban aparcados en pleno asfalto. ¡Surrealista!

Me casé con Alejandro, mi segundo marido del que hablaré más adelante. Yo deseaba con todas mis fuerzas ser madre. Pero no me quedaba embarazada. Esa Semana Santa, en la procesión, le pido al Cautivo que me ayude. A cambio, me comprometo a ir a verlo todos los lunes santo de mi vida. En julio me quedo embarazada. Y desde entonces cumplo mi promesa. A lo largo de mi vida le he ido pidiendo cosas. Unas se han cumplido y otras no. En los últimos años le pongo unos pendientes que llevo conmigo, y que voy cambiando cada vez que llega ese solemne momento. Tengo que agradecer a la Hermandad que me dejen verlo durante el día. Sí, le doy las gracias por su generosidad; sobre todo a su actual directiva, y con todos los respetos a Juan Partal, que fue hermano mayor del Cautivo. Su deferencia me ha permitido llevar el trono del Cautivo cuando vuelve a casa. Ha sido uno de los grandes honores de mi vida. Aunque ha sido un honor mayor el que tuve tocando la campana del Rico.

La Semana Santa no es solo un acontecimiento personal: es el reencuentro con mi familia. Es el momento de las ausencias, demasiadas ya; tan recordadas, tan añoradas. Estar allí y saber que nunca más voy a ver a mi tía Leli supone un tremendo dolor. Ver a su hijo pequeño, Tomás, mi ahijado, llevando un trono, me emociona y llena de orgullo. Es un chico extraordinario. Por eso se mezcla la satisfacción de contemplarle ahí, en la procesión, con la pena de que su madre no pueda verlo. Para intentar consolarme, trato de imaginar lo feliz que Leli se sentirá de ese momento desde donde esté. La Semana Santa antes de morir, Tomás sacó un trono. Yo sabía que ella estaba ya muy malita, y a mí se me caía el alma a los pies de verla llorar mientras procesionaba su hijo. Es un sabor agridulce. Agrio por el dolor. Dulce por el orgullo. Y tras el fallecimiento de mi tía, mi madre no va a la Semana Santa de Málaga por primera vez en su vida. Este año sí que hemos estado juntas ella y yo. Para ella esas fechas son sus raíces, su trabajo; pero sobre todo su gente, su muy querida familia. Ese año creo que no habría podido soportarlo.

ADIÓS, MÁLAGA

Ya me he acostumbrado. La verdad es que prácticamente ha dejado de afectarme. ¡Menudos berrinches me llevaba! ¿Para qué? Un día me di cuenta de que no merecía la pena. Y sobre todo que no la merecían ellos. ¿Cuántos titulares con el tema? ¿Cuántos comentarios? ¿Cuántas horas? ¿Cuántos renglones? ¿Cuánta mala leche? Todo eso y más. Pero, como digo, ya no me duele que digan que estoy donde estoy por ser la hija de quien soy. Hablemos claro: se cuestiona, incluso, mi profesionalidad. Por mucho que yo explique, por mucho que trate de convencer a la gente, que les detalle mi carrera, que les cuente lo que he hecho, siempre habrá personas que no van a cambiar de opinión. Para ellos soy lo peor de lo peor. Una niñata, de más de cincuenta, pero niñata, que vive bajo el abrigo de la Campos, y a la que su madre va imponiendo por los despachos de las televisiones. ¡Ay...! Una soberbia, una consentida, que no ha pegado un palo al agua en su vida. Una señoritinga, una nueva rica rodeada de oro falso y de palmeros. ¿De verdad creen que soy así? Pues, modestia aparte, creo que soy bastante mejor que todo eso. Y que las cosas no son así ni de lejos. La historia es bien distinta.

Cuando ya estoy instalada en Madrid, en julio de 1986, hago una maqueta, que es una cinta de radio, y me voy con ella a Málaga, a la Cadena Rato. Yo ya había hecho mis pinitos en Radio Cadena Española, en Madrid. A los dieciocho años, mientras mis amigos salían los fines de semana, yo me quedaba en casa, porque me levantaba a las cuatro y media de la mañana para entrar a trabajar a las seis. Salía a las dos de la tarde y ganaba 39.000 pesetas al mes, por trabajar los sábados y los domingos. Me encargaba de la producción de esos días y me dejaban hacer algo delante del micro. Entre otras cosas, un horóscopo muy divertido.

—Aries, la vida te va a ir más bien regular. Se avecinan problemas con tu pareja.

Y le poníamos una canción de Pimpinela o de Camilo Sesto, o de cualquier cantante que estuviera relacionado con el tema. Así que ahí están mis comienzos: madrugando los fines de semana. ¡Ojo!, no es nada extraordinario. Es algo que hacen miles de personas. Lo sé. Pero que también conste en acta que empecé como una más.

Yo siempre he tenido mucha curiosidad. Estaba en la producción y se lo preguntaba todo a mis compañeros: ¿Esto para qué sirve? ¿Cómo funciona esa máquina? ¿Por qué se encienden esas luces? Y el realizador me miraba como diciendo... «menudo coñazo de ser humano». Y entiendo que lo pensara. Sé que a veces resultaba un poco insufrible. Pero gracias a eso aprendí un huevo.

Cuando me voy a Málaga, en la Cadena Rato había todavía menos medios. Era algo más modesto, más artesanal. Allí estaba todo: una mesa de sonido sin regletas, con potenciómetros. Y nada más. Era como una radio de juguete. Dos platos y dos radiocasetes. Esa era la tecnología que me encontré. Mayor escasez, imposible. Pero ahí, con tan poca cosa, seguramente con una audiencia muy baja, empecé a enamorarme de mi trabajo. Desde aquellos primeros momentos tuve claro a lo que me iba a dedicar. Estaba comenzando mi carrera. Y me sentía plenamente feliz.

Pero mi primer trabajo, antes de que llegara la radio a mi vida, consistió en vender la revista de la Guardia Civil por la calle. Y si ahora digo que no lo necesitaba para comer, sé que corro el riesgo de que se me tilde de altiva y de sobrada. ¡No, por favor! Lo digo precisamente por lo contrario. Si yo hubiera sido más remilgada habría dicho: «Bueno, ahora me tiro a la bartola hasta que encuentre un trabajo en condiciones.» Esa no era mi manera de pensar. Yo no me movía así. No he sido nunca una vividora. Ni una chupóptera. Un día decidí no estudiar. Y al día siguiente hice lo mismo que otras tantas personas: buscarme un trabajo para ganarme la vida. Creo que, aunque se empeñen en decir lo contrario, soy muy normalita.

Alguna vez me han preguntado si me arrepiento de no haber hecho una carrera. Y la respuesta es sí. Reconozco que es una asignatura más que pendiente, suspendida. Me hubiera gustado haber obtenido una licenciatura universitaria sobre todo por mi madre. Por ella más que por mí. Eso no quita que, por años en la profesión, no me considere menos periodista que uno titulado. Precisamente esa antigüedad me hubiera dado acceso directo al carnet de prensa. Nunca lo hice. De haber hecho una carrera, sería Derecho. Y creo que sería una buena abogada.

Pero estaba con lo de la Guardia Civil. Yo calle arriba y calle abajo vendiendo la revista, hasta que un día digo: voy a ser azafata. Así que me metí en una academia en la que, además, nos enseñaban inglés. Durante una clase, va un profesor y me pregunta:

—Va usted por el pasillo del avión y un pasajero le toca el culo. ¿Qué hace?

—¡Le doy una hostia y le arranco la cabeza!

—No... eso no puede ser.

—¡¿Cómo?! ¡¿Que tengo que aguantarme?!

—Efectivamente...

Y efectivamente me levanté y me fui. Aquello iba en contra de mi dignidad. Y no volví. Terminaba así mi sueño de altos vuelos.

Donde sí reconozco que me metió mi madre fue en un programa de la radio en el que ella trabajaba. Sí: ahí me enchufó. El director, el ser más raro del mundo, pero al que amo con toda mi admiración, Arturo González, un auténtico genio —genio por lo uno y por lo otro—, me convierte en su mano derecha. En la de él, no en la de mi madre. Nos reuníamos todos los días en la cafetería Serrano 50.

Yo llegaba y le decía:
—Buenos días.
—M... —Era su respuesta.
Al día siguiente lo mismo:
—Buenos días.
—M...
Así que al tercer día llegué y le dije:
—M...
Y él me contestó:
—Buenos días.

Jordi García Candau, director de Radio Cadena Española, decide un día apartarme del programa, aduciendo que estar allí no es beneficioso para mí. La respuesta de Arturo fue montarle un pollo. Y entonces me doy cuenta, para mi propia sorpresa, de que me apreciaba más de lo que yo imaginaba. Y amenaza con dejar el programa si yo me voy. A mí ese gesto me hizo sentirme importante y querida.

Desde entonces Arturo forma parte de mi vida. Ha sido uno de los seres humanos que más me ha gustado conocer, por su personalidad compleja y, por qué no decirlo, porque me he sentido valorada. Llevo mucho tiempo sin verlo. Pero si mañana descuelgo un teléfono y le digo:
—Arturo, te necesito.
Sé lo que él me va a contestar:
—¿Dónde quieres que vaya?

Yo vengo a Madrid con dieciséis años, a estudiar en el Instituto de Radio Televisión Española, como hija de empleada. Por cierto, para esos que dicen que nunca he cogido un autobús en mi vida... Mi casa estaba en la avenida de América y cogía dos autobuses hasta Moncloa. De allí salía el que nos llevaba hasta el Instituto, en la Dehesa de la Villa. ¿Que nunca me he subido a un medio de transporte público? Pues como miles de personas: tres para allá y tres para acá. Insisto: nada extraordinario. Pero que no se me niegue ni el pan. Aunque, repito, me da igual ya lo que piensen. Ni siquiera lo que digan.

Otra cosa es el metro. Y esa es, también, otra explicación. A los pocos días de llegar a Madrid me meto en una de las estaciones. Y me cago. Yo veía a la gente correr para arriba y pensaba: «¡Algo malo ha pasado!» Así que me veía a mí misma como Paco Martínez Soria tirando de la maleta de madera. Y, sobre todo, sentía que me ahogaba. La claustrofobia no me dejaba respirar. Así que pensé: «qué necesidad tengo de pasar por esto». Y lo tuve claro:

—Por arriba, siempre por arriba. ¡Aunque tarde catorce horas más!

Y fui directa a la parada de autobús.

Estudiaba por la tarde de cuatro a ocho, y por la mañana hacía la compra y cocinaba. Esa es otra: que todo me lo han dado siempre hecho. Que me han criado entre algodones. ¡Y una mierda! Qué manía y qué risa me da con la insistencia de dar una imagen mía tan alejada de la realidad. Sí, de la no siempre amable ni encantadora realidad.

Lo que me ponía de los nervios eran los plantones de última hora.

—Hija, que no me viene bien ir a comer a casa.

Y yo con las lentejas listas, con la mesa preparada, todo a punto para comer en plan familiar, para contarnos nuestras cosas en torno a un plato, para que alguien dijera que estaba muy rico todo y que era una artista de la cocina... Pues nada. Toda la mañana haciendo albóndigas y después me dejaban plantada. Y mira que yo, muy cumplidora, había ido a la carnicería y primero había llamado a mi abuela. Mejor dicho: le había puesto una conferencia a Málaga.

—Abuela, ¿cómo hago las albóndigas?

—Mira, hija, compras carne picada, la aliñas así, la fríes envuelta en un poco de harina y verás qué ricas te salen.

Sí, abuela, aquellas albóndigas sabían a gloria; quizá porque tú me enseñaste a hacerlas, porque escuchaba tu voz y sentía con qué cariño, con qué dulzura me ibas explicando todo lo que tenía que hacer. Y aunque estabas lejos, te sentía como si estuvieras conmigo allí, en aquella cocina de una casa casi desconocida, lejos de ti; de nuestra Málaga. Estabas, pese a la distancia, en ese piso de Madrid al que habíamos llegado para empezar una nueva vida. O para mejorar la que teníamos, que ya me pierdo con tantos recuerdos y con tantas ausencias. Ausencias como la tuya, mi querida abuela, que tanta compañía me hacías mientras cocinaba, mientras tratabas de que hiciera las cosas bien. Y yo te seguía a pie juntillas. Yo quería que tú estuvieras orgullosa de mí. Y creo que lo estabas. Y otra vez me emociono. Y daría cualquier cosa por poder llamarte con uno de estos teléfonos que hay ahora y que tú no conociste. Un teléfono por el que podríamos vernos las dos mientras hablamos. Ya no hay que poner conferencias, abuela. Y tú me dirías que te gusta mucho el jersey que llevo puesto y yo te diría que te veo muy guapa y que te echo de menos y que las albóndigas me han salido perfectas porque tú estabas ahí, detrás, ayudándome, llevándome de la mano y llenando mi vida de lo más importante: cariño.

La situación en aquella casa era la siguiente: mi madre se viene a Madrid con un sueldo, un plus y dos hijas. Y nos instalamos en ese apartamento de la calle Ayala, bastante moderno, con moqueta verde en el suelo. Entrabas y había un salón con un sofá blanco, un mueble, que se abría por la noche para que durmiera mi hermana, y una cocina americana. Y una mesa redonda para comer. Después estaba el dormitorio, que ocupábamos mi madre y yo, y un baño. Teníamos un armario para las tres y maletas llenas de ropa debajo de la cama. Pero sobre todo teníamos la ilusión de salir adelante, de ir cumpliendo nuestros sueños de, en definitiva, ser felices.

Como la dirección de Informativos de Radio Cadena Española de mi madre era un cargo de confianza, en uno de esos cambios de jefes le bajan el sueldo y le quitan el plus. Se queda, pues, con una nómina bastante apretada. Así que tuvimos que dejar el piso de la calle de Ayala porque no lo podíamos pagar, y nos fuimos al lado de la avenida América, a una casa que tenía el marido de la hermana de mi abuela, mi tío Pepe Abela, y su mujer, mi tía María Amparo. En la parte baja del edificio había una tiendecita de ultramarinos, a la que iba a comprar pan Bimbo y jamón de York, que pedía que nos apuntaran.

Mi madre me decía:

—Niña, solo cien gramos de jamón, que no hay dinero.

Ahora que me doy cuenta, nunca le he preguntado a mi madre si mi padre nos ayudaba económicamente cuando nos vinimos a Madrid. De verdad que no lo sé. Y me ha entrado la duda. Supongo que pagaría algo. Lo cierto es que, sin tirar la casa por la ventana, a mí nunca me ha faltado nada. Ese fue el peor momento: no vivíamos con escasez; vivíamos con lo justo. Muy justo.

Íbamos tirando. Así que ya no me importa lo que digan los demás. No me importa que se empeñen en asegurar —porque es que encima lo dan por seguro— que solo podemos vivir en la abundancia. ¡Ja! Yo sé vivir bien cuando he tenido esa posibilidad y sé adaptarme a la situación cuando es escasa. En Madrid he tenido la posibilidad de conocer todos los colores del arco iris del dinero. Incluso de los que te dejan tiesa como una mojama.

En aquella época, mi madre iba un día en el autobús con el sueldo recién cobrado en el bolso: cuarenta mil pesetas. Y se lo robaron. Se quedó sin nada. Imagínate: una ciudad a la que acababa de llegar, con dos hijas pequeñas y, de repente, sin un céntimo en la cartera. Ella lo recuerda siempre como una de las peores cosas que le han pasado en la vida.

Mi madre empieza a hacer más cosas. La llaman para hacer programas en La Voz de Madrid. Eso suponía que los ingresos iban mejorando. Estábamos ya menos ahogadas. Así que nos trasladamos a un piso bastante normal del Paseo de las Delicias. El horizonte se iba abriendo. Yo también comienzo a trabajar en la radio los fines de semana con la mujer de José Antonio Abellán, Mara Colás, que estaba haciendo *Con Mara te vas a enterar*. Llevo la producción del programa y, de vez en cuando, hago alguna cosa delante del micro. Ganaba treinta y nueve mil pesetas, así que si hacía la compra ya lo podía pagar con mi dinero. Y eso era lo que hacía: poner el huevo.

Yo siempre he tenido una obsesión: la publicidad. Como no me iba a quedar con las ganas, paralelamente entro a trabajar en una agencia, Nueva Strategia, que llevaba las cuentas de Citroën y de Fujitsu. Mi puesto: recepcionista. Traducción de «recepcionista»: chica para todo. Para todo lo que no hacían los demás, claro. Atender el teléfono, repasar las facturas, pasar la bandeja en una reunión, llevar un café a un despacho... Un sin parar, un maratón todos los días entre aquellas cuatro paredes, un ir y venir con papeles, con vasos y, por supuesto, con una sonrisa. Eso era obligatorio: sonreír. Nunca podías dejar de hacerlo, aunque por dentro estuvieras —y hubo días que lo estuve, y mucho— bastante jodida.

Caigo en uno de los momentos emocionales más débiles de mi vida. Mantengo una relación con una persona doce años mayor que yo; un hombre que, de pronto, descubro que guarda un secreto: no es libre. Y aquello me desestabiliza una barbaridad. Me pasaba el día llorando y ocultándoselo a mi madre. Mi gran temor era que ella se enterara. Y se enteró, sí, pero cuando ya habían pasado varios años. Se quedó helada. Tiempo atrás yo me había quedado muerta.

Madrid, en realidad, me ha dado la posibilidad de hacer muchas cosas, de vivir momentos maravillosos. Y alguno muy puñetero. Pero, en general, esta ciudad me llena de energía. Es una tierra muy canalla, un remanso de paz o una verbena de farolillos y de coches corriendo como liebres por la Castellana o por la periferia. Madrid me gusta porque no es solemne, porque no es perfecta. Aquí hemos venido muchos a buscarnos la vida y otros vienen a esperar la muerte. Es una ciudad sin documentos, sin una belleza de postal, sin ningún prejuicio. Incluso puede que sea una ciudad sin solución. Aunque yo sé que Madrid es, ante todo, una esperanza.

EL 23-F Y OTROS SUSTOS

Esto de recordar es un lío. Estaba hablando de Madrid y, de pronto, me he ido con la cabeza otra vez a Málaga. Bueno, tiene una explicación: hasta llegar aquí hubo que salir de allí. Aunque, en el último minuto, hubo que retrasar el viaje. Mi madre tenía que estar aquí a primeros de febrero. Y justo entonces le detectan un mioma en el útero. Por eso no la pilla en Madrid el 23-F.

En el colegio ya empiezan a preguntarme si soy la hija de María Teresa Campos. Corrijo: de Maritere Campos. Algunos lo hacían con normalidad y otros con una cierta sorna. Incluso yo he llegado a negar ser la hija de mi madre, que ya era una mujer conocidísima en Málaga. Para mí era normal ir por la calle y escuchar su nombre. Aunque ella trabajaba en la radio, la reconocían por los festivales que presentaba. Era muy querida en su ciudad. Y nosotras éramos dos alumnas más del colegio en el que había un cura, don Pedro, que trabajaba en otros centros. Entre ellos estaba el de Tiro Pichón para gente con una economía más limitada que en el nuestro. Pero don Pedro nos llevaba de excursión con aquellos niños y nos lo pasábamos en grande. Eran unos chavales estupendos y muy divertidos. Sin embargo, esa confraternización no parecía gustarles a algunos padres de nuestro colegio; perdón, a algunos gilipollas cuyos hijos iban a nuestro colegio. Ese tipo de gestos nunca los he vivido, afortunadamente, en mi casa. Pero aquellos padres creo que acabaron saliéndose con la suya: al poco tiempo echaron al cura. Muy injusto. Don Pedro era una persona comprometida con los más necesitados. Y eso, en mi opinión, es lo que tiene que hacer un cura. Y lo digo porque soy, precisamente, una mujer creyente.

Llega como una bomba inesperada la tarde del 23-F. Y casi lo peor: la noche. Aquella noche larga, de tantos miedos, de tanto transistor y de tanto café para aguantar el tirón. ¿Qué estaba pasando? Desde luego algo que no era bueno, algo que, como se demostró poco después, la inmensa mayoría de los españoles no querían. Pero el ruido de los primeros sables cortaba el aire como cuchillos afilados. En la radio empiezan a sonar las primeras marchas militares, y mi madre se asusta. Era una persona muy significada políticamente. Y significada era, simplemente, que era una demócrata, alguien que había luchado por las libertades. Mi madre nunca se quedó atrás.

Mi madre participó desde el principio en el día de Andalucía. Y yo recuerdo el primer año, con la gente que se echó a la calle a manifestarse pacíficamente, familias enteras, como una marea, recorriendo toda la comunidad en un clima de fiesta y concordia. Pero, de pronto, sin venir a cuento, salen los antidisturbios y arremeten contra la gente. ¡Se arma la de Dios! Muere una persona. Y entonces, con Málaga en estado de sitio, mi madre abrió los micrófonos de la radio para que la gente se expresara libremente. Al poco tiempo llegan las infames amenazas:

—Tenga cuidado que tiene dos hijas...

Todo anónimo, todo muy cobarde, como esos tweets que ahora no sabes quién los firma pero que saltan por las redes para mancharte de mierda, para dejar tu nombre y tu dignidad y tu vida heridos por un fuego que no sabes de dónde viene, porque nadie firma esas calumnias, porque no sabes quién es el que está enfrente disparando esa bomba de odio.

Así que mi madre, como digo, estaba amenazada; su nombre era la diana de alguien que no mostraba la cara, que no escribía su nombre, pero que tú podías imaginarte de qué parte estaba: de la contraria a la tuya.

Mi padre tenía carnet de la Falange. No creo que fuera franquista, la verdad. Más bien pienso que era un falangista de José Antonio Primo de Rivera. Recuerdo una noche, cuando nos íbamos a acostar, que de pronto veo un resplandor en la calle. Nos asomamos y nos encontramos con el coche de mi madre ardiendo. Le habían prendido fuego. Y allí estábamos en la calle todos en bata, a las once de la noche, con los bomberos. Habían atentado contra el coche de mi madre por motivos ideológicos. A mi padre también le amenazaron y le rajaron las cuatro cubiertas del coche. No nos faltaba de nada.

Con esos antecedentes ocurre el 23-F. Mi madre, todo el mundo lo sabía, se rodeaba de gente de izquierdas, gente que luchaba por consolidar la democracia. Así que en ese momento piensa:

—A la primera que vienen es a por mí.

Y desaparece.

Recuerdo el miedo, el pánico de aquellas horas. Mi padre se encontraba solo, en casa, y mi madre no sabíamos dónde estaba. Era una incertidumbre que, por momentos, te hacía pensar lo peor. Mis abuelos no podían evitar sus caras de preocupación. Hasta que sale el Rey y nos dicen:

—Niñas, no va a pasar nada.

Pero tú te vas a la cama preguntándote dónde está tu madre. Hasta que aparece y, entonces, respiras y te quedas tranquila, sabes que ya no hay peligro y que la vida va a continuar y que al día siguiente irás al colegio y que, afortunadamente, todo se habrá quedado en un susto. Mi madre fue la encargada en Málaga de leer el manifiesto a favor de la paz y en defensa de la democracia. Y sé que para ella es uno de los mejores recuerdos de su vida. Y para mí también.

MUCHA RADIO
Y ALGUNAS NUECES

Insisto: esto es un vaivén. Me cuesta ordenar los cajones de mi vida. Y tengo que hablar de mis comienzos en la radio. Ya antes dije lo del programa de Málaga. Pues bien, a raíz de eso, me fueron dando más cosas en la Cadena Rato. Generalmente las cosas que le tocaban a la nueva de turno. Y esa era yo. En la Feria retransmitía desde la caseta de la Juventud, en la que actuaban grupos como Drop o Semen Up. A veces tenía que presentarlos. Y, entonces, esas eran las veces que salías ganando, porque lo pagaba el ayuntamiento. Y de ahí llegan, también, los primeros bolos de mi vida. Por ejemplo, iba al hotel Pez Espada, como locutora de una convención, y yo, muy solemne, saludaba al excelentísimo, al ilustrísimo, a todos los gerifaltes de turno; a todos los ismos con sus corbatas y sus discursos y sus aplausos envarados y sus palmaditas en el hombro. Todo con mucha pompa, con mucho relumbrón, con un juego de reverencias y besamanos; con mucho postín. Y después de enumerar esa lista de los reyes godos de la noche, anunciaba el gran fin de fiesta: ¡El Dúo Sacapuntas!

Para lo de la caseta de la Feria iba más informal, más a la tenor: una minifalda y una camiseta y, ¡hala!, a calmar al personal. Tenía 21 años y pesaba cuarenta y dos kilos. ¡Yo quería engordar! Bueno, lo quería en aquella época... ¡Ay!, cómo una cambia de opinión con los años... ¡Y con los kilos!

Llegué a ir al médico.

—Doctor, yo quiero engordar.

—Váyase... váyase a su casa. A usted no le pasa nada. Ya vendrá para adelgazar.

¡Cuánto me he acordado de esa frase!

Y mientras, seguía mi vida en aquella modesta pero maravillosa radio. Las tardes de los domingos eran endemoniadas: tocaba fútbol. Eso significaba que tenía que estar pendiente de las conexiones, y además para las dos emisoras, Radio Torcal y Radio Málaga. Pero un programa, *Sabor andaluz*, empieza a ponerme ante mi propio espejo: descubro mi pasión por la radio.

Con la sintonía de Manolo Sanlúcar saludaba a los oyentes. Y descubro que desde ese momento estoy haciendo lo que quiero. Descubro una rara conexión con el medio. Estoy a gusto. Mejor: estoy feliz. El veneno ya ha hecho su efecto y sé que no me voy a poder escapar. Y es que, sobre todo, no me quiero escapar.

Se ha perdido aquella magia de no saber quién te está hablando desde la penumbra de un estudio de radio. No sabías si era joven o mayor, si era alto o bajo, guapo o feo... Todo te lo tenías que imaginar a partir de una voz. Ahora es distinto. Les ponemos cara a los grandes de la radio. Los reconoces porque salen en la tele, en las revistas... Entonces no; entonces los locutores eran como un hechizo del que sabías solo el nombre. Y nada más.

El día que me subí a un taxi en Málaga y el conductor me dijo...

—¿Usted no es la de *Con sabor andaluz*? —En ese instante fui feliz.

Me habían reconocido por mi voz. Era un pequeño triunfo. Sabía que era yo aquella locutora que les hablaba de Juanita Reina, de Marifé de Triana, de Lolita Sevilla; sabía que era yo la que les presentaba aquellas canciones, aquellas coplas de toreros, de príncipes, de modistillas y de meretrices. Me convertí en una experta en la materia. No había título que se me resistiera ni pasodoble que no supiera tararear. Aquellos amores indigestos, aquellas peripecias de romances inconfesables, de dramas rurales y de reinas castizas; todo aquello me quedó para siempre. Cuando años después llego a *¡Qué tiempo tan feliz!*, cuando tocaban esos temas me los sabía de memoria. Y ojalá nunca los olvide.

Me empecé a soltar con aquel programa, en el que también sorteábamos todo tipo de cosas con los oyentes. Una vez regalábamos una tostadora. Y va y llama mi tía Quica, la mujer del hermano mayor de mi madre:

—Buenas, que llamo para concursar.

Y le toca a ella la tostadora. Y yo muerta de vergüenza de que pudieran pensar que estaba amañado. ¡Para nada! Si llego a saber antes que es ella, no le doy paso.

Pero después me paré a pensar... ¡Y por qué no le va a tocar a mi tía! ¡Que la disfrute!

En el mes de junio vengo de vacaciones a Madrid. Y me doy cuenta de lo mucho que echo de menos a mi madre y a mi hermana.

Mi madre estaba colaborando en el programa televisivo de Jesús Hermida y la acompañaba a Torrespaña todos los días. Como me aburría, pasaba el tiempo echando una mano a los de producción. Llamaba a algún invitado, especialmente los que iban a colaborar en el serialillo. Al cabo de veinte días me llama Jesús:

—Señorita, ¿usted se quiere quedar aquí?

—Sin ninguna duda.

—Pues quédese haciendo la producción del serialillo.

Llamé a Málaga:

—Que me quedo.

Y volví.

UNA LLAVE QUE TODO LO ABRE: HERMIDA

Tenía 23 años y entro en el departamento de Producción. Estaba feliz. Observando con detalle todo aquel mundo tan nuevo y desconocido para mí: la televisión. Como decía, mi primera misión era cerrar las colaboraciones de actores para el serialillo. De pronto, un compañero se va y Hermida me llama:

—Señorita, ¿usted sería capaz de llevar la producción musical?

—Por supuesto que sí.

Lo dije sin titubear. No podía hacerlo. Si quería seguir allí tenía que decir que sí. Y yo me moría de ganas de pertenecer a aquello. Era fascinante. Estaba con el mejor maestro posible y haciendo un magazine de éxito en el que pasaban diariamente muchas cosas; entre ellas, un buen número de cantantes. Tan pronto tenía que llevar a Roberto Carlos o a Raphael; todos artistas de primer nivel. Y estaban compañeras como Nieves Herrero, Irma Soriano o Consuelo Berlanga. Después llegarían Concha

Galán y Mariló Montero. Y más nombres, más profesionales, que nos formamos en torno a Hermida: una lección diaria.

Entraba en la tele a las siete menos cuarto de la mañana y salía a las ocho de la tarde. Llegaba a casa muerta todos los días y deseando que llegara el fin de semana. ¡Ay... qué ganas de que sea sábado y domingo para descansar! Y cuando empezabas a relajarte, a ponerte cómoda, cuando estabas a punto de quedarte frita en tu merecidísima jornada festiva, suena el teléfono. Era Hermida:

—Señorita, no me gusta la actuación del principio de mañana lunes. Cámbiela.

¡Eran las once de la noche! ¡A quién ibas a llamar a esa hora para que estuviera cantando a las nueve de la mañana del día siguiente en el plató! Te entraban todos los males. Ahora, he de reconocer que eso me curtió. Y mucho. Creo que la primera semana lloré todos los días. Hasta que me dije: se acabó. Esto es lo que hay.

Ahí, con el maestro, empiezo una de las relaciones profesionales más importantes de mi vida. Me sentía valorada y respetada por él. Y eso que al principio no fue nada fácil. Los primeros días me cruzaba con él en el pasillo.

—Buenos días, Jesús.

Y no me contestaba.

Al día siguiente:

—Buenos días, Jesús...

Y nada. A la tercera, lo mismo. Así que a la cuarta, cuando paso a su altura por el pasillo, ni le miro ni le saludo. Y Jesús reacciona:

—Buenos días, señorita.

¿Por qué hacía aquello? Sinceramente yo creo que iba en su mundo. Sus famosos monólogos, que eran la apertura del programa, ni los escribía ni los leía. Iba dándole vueltas en su cabeza mientras salía del despacho, caminaba por los pasillos, se maquillaba... Iba a lo suyo, dibujando en su mente las palabras con las que iba a saludar a la audiencia.

Mi relación con él cada vez es mayor. Y me encuentro formando parte de su equipo de máxima confianza. Eso significaba que no había horarios y que tampoco había casi vida. El fin de semana me lo pasaba en casa escuchando cintas de cantantes noveles. No paraba. Pero no me arrepiento. Con la ayuda también de mi jefe directo, Raúl, en aquel programa aprendí lo que es la televisión desde abajo. Y desde el corazón.

Una temporada que recorría España haciendo un casting de presentadores, del que salió mi amigo Goyo González, empecé a darme cuenta de la mecánica de este negocio. Por ejemplo, un día llegaba Nico, de Hispavox, y me decía:

—Apunta para el día de la Hispanidad que te traigo a Raphael.

¡Fenomenal! Pero, claro, aquello tenía una ligera, llamémosla, contraprestación: para llevar a la estrella antes tenía que dar cancha a otros cantantes menos conocidos. Es más: nada conocidos.

De la mañana pasan el programa a la tarde. Ahí tengo la oportunidad de conocer a auténticas leyendas de Hollywood. Por allí pasaron actores de la altura de Shirley

MacLaine, James Stewart, Burt Lancaster... Yo nunca he sido nada mitómana, pero tampoco soy imbécil: me doy cuenta de que tengo la oportunidad de saludar a estrellas que están en la historia del cine. Y eso mola.

Pero yo siempre detrás, en la producción, sin salir en la pantalla ni para decir buenas tardes. Es que ni me lo planteaba. Jesús reconocía que yo no leía mal los *cues* y que tal vez no fuera un desastre como presentadora, pero él quería otro tipo de persona delante de la cámara. Y, sobre todo, no me quería perder para lo mío; para aquello que estaba haciendo.

Es la primera vez que trabajo con mi madre. Pero ella en ese programa hacía una cosa puntual. Y luego se va a la SER. Cuando Hermida se encarga del informativo de la noche propone que mi madre vuelva como su sucesora al frente del magazine. ¿Qué tenía que haber hecho? ¿Irme porque llegaba mi madre? Sinceramente creo que no. Vamos: rotundamente no. Hasta ahí podíamos llegar.

Y TODO CAMBIÓ A MEJOR

Con mi madre acabamos la temporada en la franja de tarde, pero para la siguiente nos llevan de Torrespaña a Prado del Rey para hacer la mañana con un programa presentado y dirigido por ella: *Pasa la vida*. Por primera vez se comentan las revistas del corazón con Carmen Rigalt, Rosa Villacastín y Teresa. Se incorporan al equipo profesionales como Concha Galán, Teresa Viejo, Goyo González, mi Belén Rodríguez... Ellos eran presentadores, yo seguía detrás de las cámaras. Pero eso, por una circunstancia meramente burocrática, estaba a punto de cambiar. Y con ello mi vida.

El jefe de personal de Televisión Española nos dice que los nuevos contratos obligan a aparecer, aunque sea mínimamente, en pantalla. Es la única manera de que continuemos trabajando en el ente. Así que ahí ves a casi toda la redacción saliendo en la tele. Como yo me encargaba de la producción musical, pues deciden que presente las actuaciones musicales. Además, hago el avance de contenidos. Bueno, y más cosas; todos hacíamos más cosas, como cantar en los especiales. De eso no se salvaba ni el apuntador. Y nunca mejor dicho: allí cantaba hasta la regidora.

Entro a trabajar en el equipo Jorge Juste, con el que me endosaron una historia sentimental que para nada fue cierta. Cero patatero. Tampoco faltaban los serialillos, como uno en el que Concha Galán, Gloria Leceta y yo hacíamos de hermanas. Por cierto, con Gloria me reencontré el año pasado en la redacción de *Sálvame*. Me hizo mucha ilusión volver a verla. Cuando yo empezaba, ella estaba ahí. Y yo también estaba en el otro lado, jamás abandoné mi trabajo de producción. Eso sí: todo por el mismo precio. Incluso el jefe de personal me llegó a decir que yo iba a cobrar menos. Y pregunté:

—¿Por qué?

—Porque eres la hija de María Teresa Campos.

Esa fue la respuesta. ¡Tócate los cataplines! Era una injusticia. Trabajaba como la que más. Llevaba a los cantantes, hacía incluso a veces de regidora, presentaba... pues no: hala, a cobrar menos. Castigada por ser la hija de la Campos. Los propios compañeros se ofrecieron a bajar una parte de su sueldo, cosa que agradecí, pero, lógicamente, me negué en rotundo a aceptarlo. Y luego, en cambio, cuentan la historia como la cuentan...

Reconozco que en esos comienzos me ponía muy nerviosa. Bueno, en realidad me ponía atacada, histérica, revolucionada como un disco de gramola. Nadie lo notaba. Pero yo lo sabía. Sí, sabía que estaba a punto de darme un flus, que temblaba, que me entraban ganas de salir corriendo por la puerta del plató y no volver jamás. Tenía miedo, mucho miedo; sobre todo a no hacerlo bien, a fallar, a equivocarme en el momento menos indicado. Siempre he sido muy exigente conmigo. Y solo de pensar que podía patinar, me hacía sudar como solo se suda en una noche de gripe. O cuando vas camino del patíbulo.

Pero, de pronto, entre el brazo de la grúa de la cámara asomaba la cabeza el compañero y me hacía un gesto de aprobación, una mueca de que todo iba bien, de que nada malo iba a pasar. Y eso me daba mucha tranquilidad. Siempre me gusta tener relación con el equipo de plató. Es muy importante contar con su complicidad. En *¡Qué tiempo tan feliz!* estaba Augusto de cámara. El simple hecho de verle allí me daba una enorme confianza.

En aquel programa, en aquellos inicios de mi vida televisiva, hacíamos un espacio llamado «Su cara me suena». Y los presentadores y colaboradores nos disfrazábamos de estrellas de la canción y les imitábamos en playback. Hemos hecho de Las Grecas, Azúcar Moreno, Marta Sánchez... Sí, me suena; todo esto me suena mucho...

Cuando empieza *Qué apostamos*, dirigido por Francesco Bosserman, nos van llamando a presentadores de la cadena para conducir las pruebas de exteriores. Yo hice dos. La primera fue en Oropesa subida a una excavadora. Y mientras hablaba en directo, pensaba: «¡Qué hostia me voy a dar, qué hostia...!» La otra fue en el Faro de Moncloa, en Madrid, con los bomberos. Ellos tenían que subir hasta la cúpula escalando la torre, al tiempo que yo hacía el mismo recorrido en ascensor. Había una demora de tres segundos que yo tenía que contar mentalmente para salir a la vez que ellos. Quedó perfecto. Y los bomberos ganaron la prueba.

Yo seguía compaginando el trabajo de detrás de las cámaras con el de presentadora. Y seguía muriéndome de miedo.

1996 será un año importante: nos llama Tele 5. En septiembre empezamos la temporada. Pero yo no la acabo: en junio de 1997 me voy a Canal Nou. Es una gran oportunidad. Me encargan la presentación de un programa nuevo: *En exclusiva*. Era un formato de Producciones 52 con un famoso de protagonista y dos gradas de invitados: unos a favor y otros cuestionándolo. Jesús Mariñas tenía que hacer el papel de quisquilloso, el que iba sacando punta toda la noche y poniendo en solfa al personaje. Resumiendo: estaba allí para tocarle las narices.

El primer día la invitada era Carmen Ordóñez y se lía parda con el peluquero Ruphert. Aquello no era un plató: aquello era Sarajevo. La noche va avanzando y en lugar de calmarse, los ánimos se van calentando. La tensión iba subiendo por minutos y yo me iba descomponiendo por segundos. No había manera de cortar la trifulca. Nunca había sufrido tanto en un directo. Al día siguiente, dos noticias: una buena y otra mala. Habíamos logrado una audiencia importante, pero Telemadrid, que también lo emitía, decide salirse del proyecto. La tercera noticia era que Mariñas desapareció del equipo. No regresó jamás.

Otro programa complicado fue el dedicado al caso Arny. Como no se podían decir los nombres, cada uno

Mis padres de novios, con 22 y 17 años.

Mi abuela Concha sujetándome en sus brazos.

Yo con un año en brazos de mi madre. ¡Ya esperábamos a Carmen con ilusión!

Con mi tía Quica, mi madre y mi prima África, que es mi hermana.

Mi madre embarazada de mi hermana Carmen, celebrando mi primer cumpleaños con mi tía Ana Luque.

Con mi primo Tachi en esos días que pasábamos los domingos en el campo. ¡Cuánto te echamos de menos Tachi! ¡Te necesitamos!

Mi abuela Concha con mi madre, mi tía Quica, mi tía Lely sujetándome en brazos y mis primos: Juan Ramón, Arturo, Tomás y África.

Soplando la tarta de pollitos de merengue. Cumplía cuatro años.

Mi hermana y yo en la Feria de Málaga vestidas de gitana. ¡Se llevaban los trajes cortos!

Mi primera comunión en las Teresianas de Málaga (mayo de 1973).

Con mi madre.
¡Mi vida!

Mi hermana y yo. Tenía 14 años y ¡qué pintas!

Año 1985. Trabajaba con Hermida.
¡Menudo look me hicieron!

El día de mi boda con Miguel Ángel junto a mi madre y Félix Arechabaleta, su pareja durante 14 años. ¡Cuánto te echo de menos, Félix! (Cesión revista *¡Hola!*)

En la sala del Palacio Miramar de Málaga, donde me casé por lo civil el 22 de mayo de 1993 con Miguel Ángel, junto a mi madre que fue la madrina. (Cesión revista *¡Hola!*)

¡Jo! Con mi madre, pero qué mona y qué delgadita. (Foto: Sylvia Polakov.)

El día que Don Juan Carlos y Doña Sofía nos visitaron en Telemadrid.

En el camerino de Julio Iglesias.

Con Rocío Jurado y Tito Pajares.

¡Uf, cuántos recuerdos! Raphael ha pasado por el peor momento de su vida. Tras su recuperación celebró una fiesta en su casa. Junto a Lucio y con el gran restaurador, José Luis.

Con Alejandro y mi madre en el plató de *Día a Día* anunciando que nos casamos (1998).

Celebración de mi boda con Alejandro en el Real Palacio de Santander.
Mis suegros: Alejandro y María Dolores.

Con Alejandro en casa de mi madre. ¡Embarazada de pocos meses!

Con los hermanos de mi ex marido, Alejandro: Nuria, José, Alejandro, Javier, Dolores y su marido Luigi en Fortuny.

18 de junio. Cumpleaños de mi madre con el que todos consideraban mi padre, Paco Valladares y Mae Dominguín.

Cumpleaños de mi sobrina y ahijada, Carmencita. ¡Yo tenía 34 años y ya estaba embarazada!

Bautizo de mi hija, Alejandra, con mi madre y mi abuelita Concha. Uno de los grandes amores de mi vida. ¡Cuánto te quiero!

Mis tres amores: mi hija, mi madre y mi abuela Concha.

Con mi madre y mi hija en el balcón del hotel Larios de Málaga durante la Semana Santa.

Junto a mi madre, el día de la boda de mi hermana Carmen. ¡Qué día tan emocionante!

Con mi madre en el plató de *¡Qué tiempo tan feliz!*

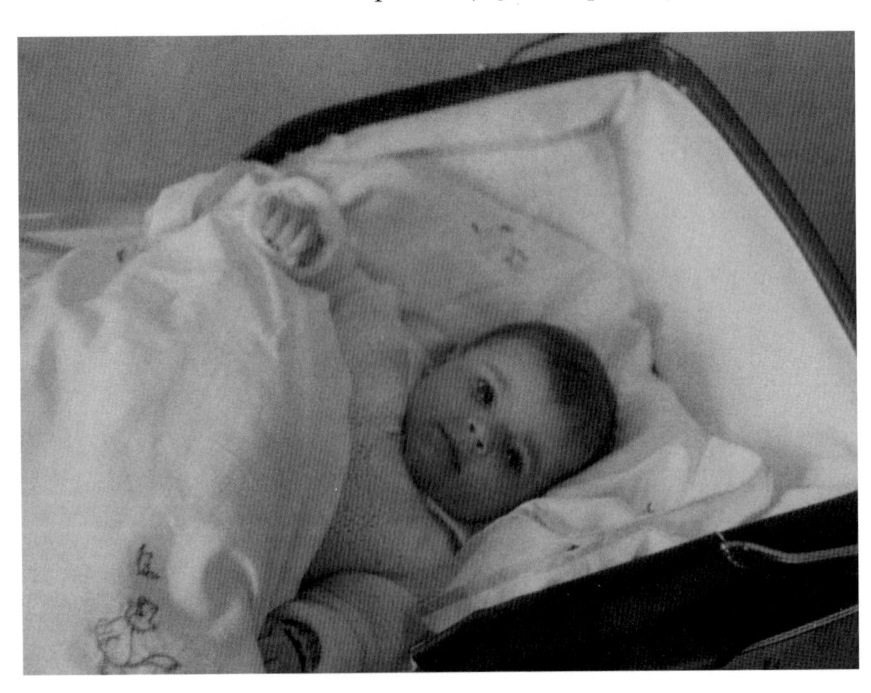

¡Qué tiempo tan feliz!

era asignado con un número: testigo uno, testigo dos, testigo tres... Y me sueltan por el pinganillo:

—Di que el testigo uno ha denunciado al tres.

Y va el tres, se levanta de la silla y en pleno directo le da una hostia al testigo número uno que casi lo mata. Y luego viví momentos irrepetibles, como la entrevista de tres horas a Julio Iglesias. Estaba feliz. Era mi primer programa como presentadora en solitario. Esta vez las cosas solo podían cambiar para mejor. Y cambiaron para mucho mejor.

Me llama José María Abendaño para decirme que Ángeles Yagüe se va a poner en contacto conmigo. Esa propuesta iba a suponer el momento profesional más importante de mi carrera: *Con T de tarde*. Era una apuesta muy especial, un programa en una franja complicada, hecho por un equipo de gente muy joven: un equipo con muchas ganas. Todos se dejaron la piel en aquel (bendito) proyecto. Todos nos implicamos sin escatimar tiempo ni esfuerzo.

Al principio para mí era una locura, porque seguía haciendo en Canal Nou *En exclusiva*. Un día a la semana grababa *Con T de tarde* a las doce de la mañana y a las tres de la tarde salía para Valencia en un avión. Acababa allí el directo y en coche de vuelta a Madrid. Llegaba a casa a las cinco de la mañana. Mi vida, entonces, era como la de una tonadillera: todo el día tirando de los baúles.

Hago el primer *Con T de tarde* absolutamente ilusionada. Pero al día siguiente me dan la audiencia.

—Hemos hecho un 10.

—¡¿Solo un diez?!

—Pues en la casa están contentísimos.

—¡¿Con un diez?!

Sí, con un diez. Eso mejoraba notablemente los resultados que hasta entonces había obtenido la cadena. Durante una temporada me llamaron la chica diez, con un poco de guasa y un poco de alusión a la media del programa. Los datos mejoraban por días. En diciembre llegamos a una media del 16 por ciento. Pero ahí metimos la pata hasta el fondo: nos fuimos de vacaciones. ¡Gran error! A la vuelta fue como empezar de cero. Y nos costó mucho remontar. Al final, poco a poco, lo conseguimos.

El primer director fue Leonardo Baltanás, que hoy es uno de los altos cargos de Mediaset. Luego pasaron otros a lo largo de los siete años de emisión. Fue una etapa profesional y personal muy importante en mi vida. El primer programa lo hicimos justo al día siguiente de la boda de la infanta Cristina con Iñaki Urdangarín. Yo me caso el catorce de marzo de 1998. ¡Un lío! Tenía el trabajo en Madrid, al diseñador del vestido en Alicante y la ceremonia en Santander. Luego hablaré de mis bodas, pero menos mal que en ese momento tenía a Pepa para ayudarme, y luego, durante muchos años, a Esther. Es esa persona de confianza que se hace imprescindible para ti. Se convierte en tus manos y en tus pies. Ella está a cada paso para ayudarte. Sinceramente, eso no me parece nada descabellado. ¡Ni que fuera un delito! Pero a veces la gente se empeña en ensuciarlo todo. Y te acaba llenando de mierda.

Durante esos siete años viví momentos históricos. Nunca se me olvidará el 11-S. Recordaré siempre ese momento en que me estoy dando el último retoque de maquillaje para empezar el programa. En la pantalla veo que el informativo da una imagen espeluznante: un avión se estrella contra una de las dos torres gemelas. Y a continuación, otro contra el segundo edificio. Nos quedamos todos mudos, pálidos, contemplando aquel atentado en directo, aquel golpe que cambiaría en buena parte el rumbo del recién estrenado siglo XXI. Allí estábamos en el plató todo el equipo, asistiendo espantados a aquel ritual de muerte y de odio, a un acto salvaje que te rompía todos los esquemas y que lo estabas contemplando en una pantalla gigante. Se me encogía el estómago y me preguntaba: ¡Dios mío... a qué mundo he traído a mi hija!

Otro momento terrible fue el 11-M. Ahora los salvajes nos elegían a nosotros para darnos un golpe en la yugular de nuestras vidas. Hicimos un programa en el que pudieron reencontrarse salvadores y salvados. Gente anónima que había evitado la muerte de otras personas, que les habían ayudado en esos trágicos instantes. Fue una extraña sensación. Lo recuerdo con mucho dolor, pero también con una lectura positiva: la de la solidaridad.

En aquel *Con T de tarde* lanzo una noticia impactante: «El príncipe Felipe tiene novia. Se llama Letizia Ortiz y es la periodista que actualmente presenta el telediario.» Yo sabía que no me equivocaba, pero estaba muerta de miedo. Mi madre me llamó: «¡Dilo, dilo!» No acababa de atreverme. «¡Dilo, dilo!» Y lo dije. La fuente estaba bien informada. Al día siguiente vuelve a llamarme mi madre:

—A la una de la tarde la Casa Real emitirá un comunicado anunciando el compromiso de Felipe y Letizia.

Estando en ese programa se cumplieron los diez años de Telemadrid. Teníamos de invitado a Enrique Iglesias y la cadena me pide que le entregue una camiseta del aniversario. No solo se la doy, sino que va y se la pone. Y hay momentos personales muy importantes para mí como cuando anuncié que estaba embarazada. Sí, he compartido muchas cosas con el público; cosas buenas y porque tenía esa confianza, ese cariño. Estaba, de alguna manera, obligada a corresponderles.

Con T de tarde empieza a tener dificultades cuando nace *Aquí hay tomate*, un programa absolutamente revolucionario en aquel momento. Ahí empezamos a bajar de audiencia. Telemadrid no tiene mucho interés de seguir adelante. Y se acaba.

Pero ahí me llega una oferta para irme un año a Antena 3. Acepto encantada y empiezo a presentar *La granja*, que coincide con la errónea salida de mi madre de Tele 5 y su entrada en la cadena en la que yo estaba trabajando. Aquella equivocación le costó a ella, y no solo a ella, pasar por muchas dificultades y por muchos disgustos. Si se hubiera quedado en Tele 5, seguramente podría haber tenido la vida más solucionada: la oferta que había hecho la cadena era muy generosa. Yo me habría quedado a ciegas. No me hubiera movido ni un milímetro. En eso hemos sido muy torpes. Tendríamos que haber producido, porque había oportunidad de hacerlo, el programa. Nunca lo hemos hecho. Hemos ganado un sueldo; un sueldo mejor, peor e incluso extraordinario, pero jamás hemos producido. Si lo hubiéramos hecho tendríamos más seguridad de cara al futuro. La vida, en fin, está llena de errores. Incluso de errores mayúsculos como aquel.

En *La granja* tuve la oportunidad de trabajar con Gestmusic: una delicia. Te cuidan como presentadora, te valoran, confían en ti, son impecables hasta en las recogidas en tu casa para llevarte al aeropuerto. Fue maravilloso estar al lado de Tinet Rubira, director del programa, Toni Cruz y el ya tristemente desaparecido Joan Ramon Mainat. Me sentí muy respetada profesionalmente. Dormía tres días en Barcelona y el resto del tiempo volvía a Madrid, donde estaba mi hija. Siempre tuve muy claro que el trabajo que aceptase me tenía que permitir no renunciar a mi vida personal. Y estaba el cariño de mis compañeros de plató, aquel magnífico equipo técnico. La primera temporada fue muy bien de audiencia. La segunda, bajamos. En mi modesta opinión tal vez se equivocaron en el casting de concursantes. Antena 3 tenía un perfil público más familiar, más conservador. Ellos se decantaron por un planteamiento más picante y eso el público lo rechazó. A mí me gustó mucho hacer *La granja* y creo que hice un buen papel. Cuando se me acabó el contrato con Antena 3 a mí nadie me dijo gracias, ni buenas tardes, ni ahí te pudras. Nadie dijo absolutamente nada.

Era una salida muy diferente a la vivida en otras ocasiones. Cuando me fui de Tele 5 a Canal Nou me escribió una carta preciosa un directivo de la cadena, Mikel Lejarza. Y al dejar Onda Cero de Málaga, el dueño de todas las emisoras, Ramón Rato, también me mandó unas palabras muy cariñosas. Supongo que pasa como con todo: hay veces que las cosas terminan bien y otras que te vas sin que salga nadie a despedirse de ti. Y eso fue lo que ocurrió.

Después de Antena 3 me quedo sin trabajo un año, hasta que llega *El show de Flo*, el programa de monólogos, que suponía volver a trabajar con Gestmusic. Era una mezcla entre lo mucho que nos divertíamos y lo mucho que yo sufría por el temor a hacerlo mal y por todo lo que tenía que hacer. Incluso en una ocasión casi me quedo coja para siempre. Estaba ante un monólogo, la experiencia más difícil de mi vida. Soy tan vergonzosa, tengo tanto sentido del ridículo, que a mí aquello me costaba lo suyo. Pero me encantaba.

Cuando hacía la script con mi madre me disfrazaba. Era otra persona. Y eso hacía que desapareciera el miedo. Pero allí había que salir vestida de ti y siendo tú misma. Y tenías que hacer reír a la gente. Era como un triple salto con tirabuzón y sin red. Los tochos más tochos nos los encasquetaban a Mayra Gómez Kemp y a mí. Trabajar con Mayra fue maravilloso. Estaba al lado de alguien que era ya historia de la televisión. Como también era emocionante compartir el plató con José María Íñigo. Estaba con dos de los grandes, de los más grandes.

Mi mayor momento de felicidad de la semana llegaba después de soltar el monólogo, cuando por fin podía sentarme y ver el resto de interpretaciones. Al principio tardaba una hora en memorizar el guion. Luego ya fui cogiendo carrerilla y al final con veinte minutos tenía suficiente. Aquello fue un reto. Y es, sin duda, lo más difícil que he hecho en televisión. Acababa mi intervención descompuesta, preguntándome cómo lo había hecho; por qué el público se había reído en tal momento y en otro no. ¡Era un descoloque maravilloso! Creo que no lo hice mal. Y es de las pocas veces que digo algo bueno de mi trabajo. Estoy muy orgullosa de haber vencido todos mis temores. De hecho llegué a la final y estuve catorce semanas concursando. Definitivamente aquello estaba bastante bien.

Al mismo tiempo me voy a trabajar a Onda Seis con Alfredo Urdaci: una de las mejores cosas que me han pasado en mi carrera. Era un programa que se llamaba *Locos por Madrid* dirigido por mi hermana Carmen y en el que prevalecía la información. Fue maravilloso verme en una mesa del estudio leyendo las noticias al lado de Urdaci. Para mí conocerle fue un auténtico descubrimiento.

Él acababa de salir poco menos que defenestrado de Televisión Española. Pues, sinceramente, me encuentro a un buen compañero; a un hombre muy generoso en el plató. Yo iba dos veces a la semana y arrancábamos los dos haciendo un sketch como si fuéramos una pareja. Era muy divertido interpretar aquellas pequeñas historias basadas en la actualidad. Teníamos el guion pegado en las páginas de los periódicos que, supuestamente, estábamos leyendo para comentar las noticias del día. A veces nos caían los papeles al suelo y teníamos que improvisar sobre la marcha. Pero nos entendíamos muy bien. Hace mucho que no veo a Alfredo. Pero le quiero.

Vuelvo a quedarme sin trabajo y, de nuevo, vuelve a

sonar el teléfono. ¡Qué importante es que te suene el teléfono cuando no tienes programa! Miras el móvil de reojo. Compruebas que tienes cobertura, que tienes batería. Pero nada: ni llamadas perdidas ni mensajes. Nada. Entonces ya no es que mires la pantalla de reojo, es que no la pierdes de vista. Vives pegada a ese pequeño y diabólico artefacto, porque si los milagros existen el milagro llegará a través de tu smarphone o de lo que tengas. Y por fin llegó. Esta vez la salvación tenía un nombre de prime time: *Mira quién baila*.

Y allá que me fui. Me toca un grupo sensacional de compañeros: Ana Obregón, Los Morancos, Vicky Martín Berrocal, José Ortega Cano, Julio Salinas, Elizabeth Reyes y Manuel Bandera. Un jurado estupendo. Y además, Poty de profesor. Un lujo. Eso sí, trabajábamos como bestias. Yo ensayaba cinco horas diarias. No podía quedar como una gilipollas, y menos en el horario de máxima audiencia. Sí, son cosas de la tele: un día te caes por la noche y a la mañana siguiente ya no te puedes volver a levantar.

Todo el esfuerzo quedaba compensado con el buen rollo entre nosotros. El programa se hacía en Barcelona. Y el primer día nos dijeron en el hotel que cuando regresáramos después del directo nos llevarían una cena fría a la habitación. ¡¿Una cena fría y cada uno en su habitación?! ¡Para nada! ¡Ni hablar! Allí estábamos sobre todo la pandilla canalla: César de Los Morancos, Aida Gómez, Ortega Cano y yo. Éramos los más trasnochadores. Estábamos de juerga hasta las cinco de la mañana. Éramos imparables.

El programa iba a durar, inicialmente, tres meses. Pero como iba muy bien de audiencia al final hicimos cinco meses. Aquello no se acababa nunca. Pero yo, encantada: gracias a eso iba haciendo una hucha. Pero como no existe la felicidad completa, de pronto recibo uno de los palos más grandes de mi vida: la enfermedad de mi madre. Acababa el ensayo y salía corriendo al hospital para acompañarla en las sesiones de radioterapia. Al terminar, otra vez de vuelta a toda pastilla al aeropuerto para ir a Barcelona. Fue un momento muy complicado. Afortunadamente mi madre se recuperó muy bien. Y hoy está estupenda.

El 25 de agosto de 2007 comienza un programa nuevo en Tele 5: *La noria*. Unos días antes yo estoy en Marbella y recibo una llamada de teléfono:

—Soy Raúl Prieto. —Uno de los directores de *Sálvame diario* actualmente—. Estoy preparando un programa para la cadena.

—Yo encantada, pero es que no quiero hacer corazón.

—Te quiero para la tertulia.

Y ahí me ves sentada junto a María Antonia Iglesias y Miguel Ángel Rodríguez. Había firmado por un día. Al final me quedé casi cinco años. Ahí conocí a otro profesional como la copa de un pino: Jordi González, al que quiero y respeto profundamente. Me encantaría volver a trabajar con él.

En ese momento *Sálvame* ya lleva seis meses de emisión, y al acabar una grabación de *La noria* entro en el plató para saludar a Jorge detrás de las cámaras. Le hago un gesto de que no puedo, porque debajo del abrigo llevo la ropa que después saldría en la emisión que acabábamos de dejar enlatada. Pero insiste. Y salgo. Y me empieza a hacer preguntas por arriba y por abajo, hasta que lo suelta:

—¿Quieres colaborar en *Sálvame diario*?

Y lógicamente dije que sí. Jorge, que como se sabe tiene mucha guasa, me presenta el primer día muy en su estilo.

—Hoy empieza con nosotros una chica nueva que está empezando: ¡Terelu Campos!

Cuando me siento en esa mesa me encuentro rara, me entra una gran angustia, me veía sin ritmo al lado de los demás, sin chispa. Pero ese estado de pánico me duró exactamente cuatro días. A partir de ahí a sentirme como en familia. Bueno, alguna vez, como una familia política...

Como yo lo pasé tan mal al principio, cuando se incorpora alguien al programa, por ejemplo Chelo García Cortés, procuro estar a su lado. Sé cómo te puedes sentir al llegar a un equipo tan conformado como el de *Sálvame*. Te sientes un poco desubicado, no sabes por dónde sopla el aire. Luego ya los vas conociendo, ya vas sabiendo de qué pie cojea cada uno. Vas descubriendo sus debilidades, sus grandezas. Te vas, en fin, adaptando al medio y a quienes lo integran. Por eso procuro ayudar a los nuevos: porque yo también tuve que aprenderlo.

El dos de febrero de 2010 voy a Málaga para disfrutar, como todos los años, de la Semana Santa. En mitad del camino recibo una llamada de uno de los dueños de la productora «La fábrica de la tele», Adrián Madrid.

—Cuando llegues, llámame. Tenemos que hablar.

¿Qué tenía que decirme Adrián? ¿Había metido la pata en algo? ¿No lo estaba haciendo bien? ¿Me iban a echar? Todo lo contrario:

—Jorge Javier se va de vacaciones y hemos pensado en ti para presentar el *Sálvame deluxe*.

—¡Voy corriendo!

Ni siquiera me dio tiempo a abrir la maleta. Inmediatamente regresé a Madrid. Y me eché a llorar. Era consciente de lo que significaba esa llamada. Estaba ante una de las grandes oportunidades de mi vida. No podía rechazarla. Estaría loca si lo hiciera. Y no podía estropear un momento así. Y aquel Viernes Santo me preparo mi primer *Deluxe*. Lo hago a conciencia, obsesionada con no equivocarme. Y llegan las diez y digo buenas noches vestida con un traje azul celeste de Valentino, con mi pelo liso, corto. Con mis nervios y toda mi ilusión. Salgo como si fuera el instante más importante de mi vida. Y quizá lo era. O al menos yo lo sentí así. Salgo y soy, a esa hora, la mujer más feliz de la tierra.

En la otra cadena, Jaime Cantizano presentaba *¿Dónde estás corazón?* La competencia era durísima y los datos no eran los mejores del mundo. Al día siguiente leo el titular: «Terelu Campos gana a Jaime Cantizano.» Con todo el cariño que sabes que te tengo Jaime, mi querido y admirado Jaime, pero tienes que entender que aquello era para mí muy importante. Pero no, no lo era por mí: lo era por los demás. Por todas aquellas personas a las que no podía defraudar. Cuando un programa es tuyo, asumes el éxito y el fracaso. Pero cuando vas a sustituir a otra persona lo último que quieres es hundirle eso que tanto trabajo y tanto esfuerzo le ha costado. Lo presenté durante cuatro años. En general, conseguimos buenas audiencias. La mejor, un 23,5, con la entrevista a Rosa Benito tras ganar *Supervivientes*. Me acuerdo de que Jorge me llamó y con su habitual humor me dijo:

—A que me vuelvo ya...

—Cariño, si lo más importante de todo es que no te lo haya hundido, que te lo deje bien para cuando vuelvas.

Siempre me he sentido apreciada y respetada por Jorge Javier. Su afecto ha sido muy importante para mí. Hacer *Sálvame diario* con él es una delicia, un regalo. Bueno, menos cuando me toca ser el centro de la diana. Pero de eso él no tiene la culpa. Creo que con una mirada nos entendemos. Es un tío con una profesionalidad enorme, con una cultura y un sentido del humor y una acidez fuera de lo común. Tiene todos los ingredientes para conducir un Pegaso como *Sálvame*. Pero no solo eso. En realidad, lo tiene todo para presentar cualquier programa.

Hablemos claro: reconozco que dejar de presentar el *Deluxe* fue uno de los momentos más amargos de mi carrera. Entiendo que nada es para siempre, y que si te quitan no significa que no lo hayas hecho bien. Sé que no. Los diferentes directores que he tenido han alabado mi trabajo. Creo que han agradecido mi entrega al programa y a sus decisiones: las he acatado sin rechistar. Siempre me he sentido muy orgullosa si me decían que dirigirme era muy fácil. Es un buen piropo. Es un premio. Pero, como digo, nada es eterno. Qué le vamos a hacer. No puedo mentir ni ocultar que eso lo llevo, con mucho dolor, en mi corazón.

Prácticamente no lo he hablado con mi madre. Intento no darles muchos problemas a las personas que quiero y escondo mi sufrimiento para que ellas estén mejor. Las malas noticias profesionales he procurado siempre llevarlas de forma relajada que no se sintieran mal los que me rodean. Pero en el caso del *Deluxe*, mi madre y mi hermana no son tontas. Ellas sabían la ilusión con la que hacía ese programa.

También me dolió mucho que quitaran *¡Qué tiempo tan feliz!* Estaba muy cómoda en ese programa y me dejaban hacer muchas cosas. Una vez fui de invitada y ya me quedé hasta el final. Cuando me lo propusieron dudé.

—Me van a decir lo de siempre, que si a mí me enchufa mi madre y todas esas cosas.

—Pero eso nos trae sin cuidado. No es Teresa la que te contrata: somos la dirección del programa y Mandarina, la productora, los que queremos que estés aquí.

Así que acepté. ¿Voy a tener problemas después de tantos años? ¿Después de tantas críticas? ¿De tantos palos? ¿Después de tantos insultos...? Para nada. Y estuve cinco años.

Claro que he pedido a mi madre que me echara una mano en alguna ocasión. Claro que le he pedido que llamara a fulanito para ver si me podían contratar en tal sitio. Claro que lo he hecho. Yo sí, pero ella no. Jamás ha movido un dedo en ese sentido.

—Oye, tú que conoces a este, podrías echarme un cable con él.

—No, hija, no. ¡Para qué queremos más! Si no lo he hecho y dicen que lo hago, imagínate si lo llego a hacer. No.

Con todos los respetos, querida madre: permíteme que manifieste mi total desacuerdo. Pienso justo lo contrario: ya que dicen que lo haces, pues hazlo. Así, en esa ocasión, será verdad. Pero no hay manera de que ella lo entienda así. Nunca ha pedido nada para mí. Su explicación es que eso sería perjudicial para mí. Sinceramente, yo no veo que tenga una repercusión tan negativa. Todo el mundo utiliza, en el buen sentido, a un familiar, a un amigo, para poder acceder a alguien. ¿Dónde está el delito? ¡Ojo! Solo pido que me escuche, no que me den el trabajo. Eso mi madre nunca lo va a entender. Desisto. También quiero aclarar que sí me ha echado una mano puntual pagándome, por ejemplo, el colegio de mi hija. En ese sentido es una mujer exageradamente generosa. Sus amigos lo pueden decir. Lo que siento por ella merece un capítulo aparte.

Mi principal faceta profesional es la de presentadora. Me encantaría volver a hacerlo, y hacerlo ya desde la madurez, desde el conocimiento del medio que me ha ido dando los años. Cualquiera de los que nos dedicamos a esto es normal que queramos presentar. Lo raro sería decir lo contrario. Lo cierto es que en un sitio o en otro, de una manera o de otra, no me veo haciendo otra cosa que no sea dedicarme a esto. Siempre pienso que lo mejor está por llegar. Y seguro, segurísimo, que algún día llegará.

Hay que estar abierto a todo, dispuesto a ir donde te toque y a hacer lo que corresponda en cada momento. No entiendo esa postura de «no, eso no lo hago». Aquí estamos para una guerra o para un sarao, para trabajar por la mañana o de madrugada, para rodearte de santos o de demonios, para reír o para lo serio, para, en fin, lo que el jefe guste mandar.

Me da igual, por lo tanto, un magazine que un programa informativo. Como profesional tengo que estar dispuesta a afrontar retos. Y si te toca algo que nunca has hecho, pues mejor. Más emocionante. Tienes que meterte de lleno en una nueva experiencia. Es el encanto de volver a empezar.

Tengo esperanza de volver a la radio. Eso me haría mucha ilusión. Es un medio más personal que la tele. Todo depende más de ti. Es un trabajo muy artesanal. No sé, no sé dónde me empujará el viento. Solo espero que no me falte el trabajo, que todos los días al encender el televisor o sintonizar un transistor yo pueda estar ahí. Y estar para contar algo, para compartir con esas personas que, sin que las conozcas, te hacen uno de los suyos. Y te hacen así, feliz. Muy feliz.

LAS LUQUE

La gente habla de las Campos. Muchísimo. Sí: un reality por aquí, un palito en una revista, un aplauso por allá, una hostia en un plató. Las Campos. Y al decir esas dos palabras, al nombrarnos, es como si una fuera una consecuencia de la otra. Como si Campos fuera una manera de ser. O una marca. Pero, cuando dicen «Las Campos», en realidad deberían decir «Las Luque». Sí, por mi abuela materna, Concha Luque.

Mi familia ha sido un matriarcado. Sí, en el sentido de que, en aquella época, eran muy de decir eso de... «lo que diga tu madre» o «lo que diga tu abuela». Y la mía, mi queridísima abuela, era una mujer con mucha personalidad. Para mí ha sido como una madre. Como otra madre más. Ella ha modelado una parte importante de lo que soy. Se lo debo a su cariño, a su educación. Hemos llegado a ser diecisiete nietos, con mucha edad de diferencia entre nosotros. Pero mi hermana y yo, como vivíamos al lado, creo que teníamos con ella una relación muy especial. Nosotras la llamábamos «la abuela Cota». El resto de mis primos «Mamá Concha». A ellos no les hacía mucha gracia que nosotras nos dirigiéramos a ella de esa manera.

Mi abuela es un ejemplo de sacrificio, de entrega. Se pasó la vida dedicada a su marido y a sus seis hijos. Primero nacieron dos varones, Juan y Paco. La niña que ella deseaba, no acababa de llegar. Casi como último intento le fue a rezar a santa Teresita de Lisieux, que estaba en una iglesia cercana a su casa. Le prometió que si lo próximo en nacer era una niña, en agradecimiento le pondría de nombre el suyo. Y nació mi madre: santa Teresita de Lisieux, no santa Teresa de Jesús.

Luego vendrían Tomás, Concha y Leli, la más pequeña, y con la que mi madre, cuando nació, ejercía prácticamente también de madre.

Cuando hablo de matriarcado, lo digo porque la abuela era la unión entre todos los hijos. Era como la roca, como la tabla salvavidas, de toda aquella numerosa familia. Durante muchos años la comida de domingo en su casa era algo absolutamente sagrado. Eso sí: como éramos tantos, nos teníamos que turnar. Dicen que si una mujer tiene solo hombres, tiene hijos para toda la vida. Pero si aparece una niña, entonces es como si el hombre se relajara, como si dijeran: «Mamá, para eso llama a mi hermana.» Es esa cosa antigua y machista de que, como son mujeres, se entienden mejor entre ellas. En cambio si son dos o tres hombres, se entregan a su madre con más ardor e ímpetu que en la mismísima rendición de Breda.

Hasta los diecisiete años, que es cuando empieza a nacer la tanda de mis primos más pequeños, Carmen y yo éramos las nietas que teníamos más relación con la abuela Cota. El caso es que, con todas esas tandas de nietos, en aquella casa nunca faltaban niños. Ni puré. Ni un lío con las edades: mi primo Juan Ramón, el mayor, solo se llevaba cuatro años con su tía —y mi tía— Leli. Por eso mis abuelos nunca estaban solos en casa. Mis tías iban a comer todos los días. Y a comer maravillosamente. El gazpacho, la sopita, las croquetas, las paellas que —y así lo hago yo— siempre las cocinaba en la olla exprés. Todo riquísimo. Y todo muy medido, sin desaprovechar nada: los chanquetes fritos que sobraban de la comida se convertían en la noche en una estupenda tortilla para cenar. Aunque mi abuela se flagelaba mucho:

«Hoy no me ha salido bien.»

«Hoy no está nada bueno.»

«Hoy me he equivocado.»

«Hoy no sé si vais a poder comerlo de lo malo que está...»

¿Malo? Estaba de cine, abuela.

Eran una familia de clase media normal. Nunca media alta. Pero lograron sacar a sus hijos adelante. El mayor, Juan, farmacéutico; muy estudioso, muy serio, por el que creo que mi abuela tenía una gran admiración; Paco, el bohemio, el relaciones públicas, el cariñoso, un grande de la radio que es el que, cuando mi madre tenía quince años, la lleva a aquella emisora de Málaga y empieza todo; luego mi madre; y a continuación Tomás, economista, el orden por excelencia, el culto de la casa; Concha, catedrática de Historia Económica en la Universidad de Málaga, y finalmente Leli, ay, Leli... mi queridísima tía, la que amaba las artes escénicas, la profesora de Historia de la Música en el Conservatorio de Música de Málaga. Sí, lo reconozco: me hubiera gustado estudiar una carrera. Me hubiera gustado ser como ellos.

Mi abuelo, Tomás Campos Prieto, se pasó los últimos años de su vida sumido en una fuerte depresión. Y mi abuela allí, a su lado. Al lado de un hombre bueno, honesto, pero un hombre que por su enfermedad no te podía alegrar la vida. Y allí estaba su mujer, sin quejarse jamás, sin mostrar síntomas de cansancio. Una entrega absoluta. Al morirse él, yo soñaba con que ella iba a aprovechar para salir, para viajar; para hacer todo aquello que le impidió esa larga etapa un marido ausente. Pues no. Siguió viviendo para los demás.

Mi abuela era una persona buena y creyente. Iba a misa, y a mí me gustaba ir con ella. Inculcó a sus hijos el sentido de la justicia; el ser generosos, bondadosos. Y algo muy importante: ser compasivo con el sufrimiento de los demás. Era cero egoísta. Y era una mujer adelantada a su tiempo. Sacaba horas para llevar la contabilidad de las representaciones de mi abuelo. Ah, y aunque nos quería muchísimo a sus nietos, yo creo que tenía sus ojitos derechos: Juan Ramón, Francisco José y servidora, Terelu.

Cuando era pequeña me tumbaba en el sofá y le pedía:

—Abuela, hazme cosquillitas.

Y me las hacía.

La verdad es que mis abuelos son algo importante, muy importante, en mi vida. Poco antes de morir, fui a ver a mi abuelo al hospital, días después de interpretar yo *El pichi* en la tele. El pobre ya casi no reconocía a nadie. Pero al verme, dijo:

—Tú eres la del Pichi, ¿no?

—Sí, abuelo.

—Pues ahora cántamelo a mí.

Y allí me ves a mí, muerta de vergüenza, en aquella habitación de hospital, cantando eso de «Pichi es el chulo que castiga».

Cuando se murió me impresionó mucho lo frío que estaba su cuerpo. Lo estábamos velando y yo le decía a mi tía Mari Pepa.

—Tiene frío.

—Cariño, él ya no siente nada.

Esa sensación de frío, como de respiración helada, contenida, como de vacío o de abandono, como de sepulcro, me estuvo rondando muchos años por la cabeza. A veces te ocurren cosas que no sabes por qué, pero no resulta fácil olvidar.

Como decía, creía que después de eso mi abuela buscaría aprovechar el tiempo que, inevitablemente, se había quedado detenido en su vida por la enfermedad de mi abuelo. Pero no. Mi madre tuvo que insistir mucho para que aceptara ir con ella a Roma a ver al Papa. Hay una foto de mi abuela enseñándole a Juan Pablo II una imagen de sus seis hijos.

—¡Qué gran familia, señora!

Eso le dijo el Papa a mi abuela. Seguro que nunca olvidó aquellas palabras. Ni yo tampoco. Es verdad: qué gran familia, abuela...

Mi madre consiguió también llevarla todos los años con sus hermanas a La Toja. Allí era muy feliz. Y nosotras lo éramos cuando venía a pasar alguna temporada a Madrid. El resto se quedaba en Málaga, magníficamente cuidada, mimada, contemplada por mis tías, Concha y Leli. Se ponía delante de la tele a ver a su Mari Tere. En la última etapa tenía la sensación de que mi madre le hablaba desde el plató. ¿Y sabes lo que pienso?, que era verdad: que mi madre, desde la distancia, también necesitaba estar cerca de mi abuela. Y todo lo que contaba ahora pienso que se lo estaba contando a ella.

Ojalá me pareciera yo a mi abuela. Parecerme, aunque fuera un poco, en su capacidad de resignación ante muchas cosas, de amor, de estar junto a un hombre toda la vida y ante todos los problemas. Cuando Alejandra tenía seis años, fuimos a verla una vez a la casa de la playa. Ella ya estaba muy mal. Casi no reconocía a nadie. Pero a mi hija sí.

—Ay... mi niña.

La miró, le tocó la cara a mi hija, que le había llevado un dibujo, y repitió:

—Ay... mi niña.

Son las últimas palabras que recuerdo de mi abuela a día de hoy entre lágrimas al volverme a imaginar esa escena tan tierna y tan triste a la vez. A los quince días murió. Y no tuve, ante su cuerpo sin vida, aquella sensación de frío de mi abuelo. Esta vez era una sensación cálida.

En los años siguientes, cuando iba a Málaga, salía del hotel y sin darme cuenta me veía caminando en dirección a la casa de mi abuela. Pero eso era imposible. Era un sueño. Hacía tiempo que mi abuela había muerto.

DOS MATRIMONIOS Y MI MAYOR ÉXITO: ALEJANDRA

En 1989 yo trabajaba en el programa de Jesús Hermida. Y él también. Yo seguía haciendo la producción musical. Él era un operador de cámara. Y allí estábamos los dos. Casi cuatro horas de directo, más los ensayos, sonorización y otros momentos, como cuando el jefe nos ponía firmes a alguno, hacía que el equipo pasara mucho tiempo junto y estuviera especialmente unido. Incluso a la hora del almuerzo en el comedor de Torrespaña. Éramos una piña. Yo notaba miraditas por su parte. Y él tenía que notar por la mía lo mismo. Era muy alto. Yo no. Y muy delgado. Yo, entonces, también. En fin, que la cosa prometía, hasta que descubrí, aterrada, un pequeño pero revelador, insalvable y dramático detalle: llevaba un anillo de casado. Y dije:

—¡SOS, este que ni se me acerque!

El cupo de casados ya estaba cubierto. Ya lo había pasado lo suficientemente mal con aquel novio que me trajo por la calle de la amargura. A Dios había puesto por testigo de que nunca más volvería a ser la otra, la otra. Pero lo fui.

Bueno, solo al principio. Un poquito. Casi nada. Se llamaba Miguel Ángel. Y era compañero de Antonio, el que luego sería durante veinte años el marido de mi amiga Concha Galán. Empezamos a salir a comer los cuatro por la zona de bares de Torrespaña. Un cocido por aquí, una paella por allá, un tonteo, una risa tonta y ya se sabe: el roce hizo el cariño.

Me contó su historia. Sí, reconoció que llevaba muchos años casado, pero que la relación no pasaba por su mejor momento. Eso era evidente... Lo que yo no tenía claro era el nivel de gravedad: ¿era una pareja en la sala de reanimación o en la sala de espera del abogado? Seguramente opté por la postura que menos me complicaba, en principio, la vida: cerré los ojos. A veces es la mejor manera de ver las cosas: cerrando los ojos. Imaginé que era un matrimonio en fase de desahucio, un matrimonio como uno de esos países raros que van a las olimpiadas: sin ninguna posibilidad de colgarse una medalla. Al menos en esta ocasión le veía todos los días entre semana en el trabajo. Sinceramente, la cara con la que llegaba al trabajo no era la de alguien con dobles intenciones. Y entonces tomé una decisión: jugármela. Esta vez no iba a salir mal. Aquello podía ir en serio.

Y tanto que lo fue. Al poco tiempo los cuatro que comíamos juntos estábamos compartiendo el alquiler del piso del Paseo de las Delicias que acababa de dejar mi madre. Digamos, por no quitarle romanticismo al asunto, que aquel era nuestro sitio. Concha, Antonio, Miguel Ángel y yo cenábamos allí y después cada pareja se iba a su habitación. Y no precisamente a ver la tele. Ya sé que le están poniendo un nombre a ese lugar, por la función que cumplía. Por suavizar, me van a permitir que yo lo llame «nuestro escondite».

Lo que parecía evidente era que las cosas con su mujer no estaban nada bien. Si no fuera así, ¿cómo se podría explicar que él me invitara a pasar nueve días en Santo Domingo, concretamente en Punta Cana? Una noche vale, pero a ver qué milonga le largas a tu pareja para estar fuera de casa más de una semana. No sé qué le contó. Ni lo pregunté. Era un asunto entre ellos.

Mis problemas llegaban con el fin de semana. Ahí le perdía la pista. Ahí sí que me convertía en la otra, la otra, la que no tiene derecho. En sábado y domingo solo podíamos comunicarnos por el busca, una cosa que hoy nos parece muy antigua, pero que entonces era lo más de la modernidad. Antes de que llegaran los SMS y los whatsapp y todas esas cosas, existían los buscas: tú llamabas a una centralita y decías que querías mandarle un mensaje a tal abonado. Le dictabas el texto y se lo enviaban por escrito a un aparatito con una pantalla. Claro, la cosa estaba limitada. Por ejemplo, te enfadabas con el titular del busca y no podías decirle todo lo que te pedía el cuerpo.

—¡Dígale que es un cabrón!

—Ah, no; yo eso no se lo digo.

—Pues dígale que se vaya a la mierda.

—¿A la mierda?

—Sí.

—Pues tampoco.

Y allá que nos fuimos a Santo Domingo. Era mi primer viaje largo. Con 25 años y nunca había ido tan lejos. Lo pasamos fenomenal. Eso sí, cuando se me acabaron las cremas que había llevado de España, compré unas allí que solo de recordarlas me ponen la piel de gallina: literalmente. Me doy media vuelta en la hamaca y me pongo a gritar como una posesa:

—¡Miguel Ángel, que me he quemado!

En el sentido metafórico también me estaba empezando a subir una rojez por la piel y por el alma y por la paciencia. Pasaba el tiempo y todo seguía igual. Pero yo no estaba dispuesta a seguir así toda la vida. Yo nunca le dije que se separara. No le di a elegir. Simplemente me puse en mi sitio. Y se separó.

Nos fuimos a vivir a una casa grande de alquiler en Las Rozas. A veces él tenía turnos que le obligaban a salir a las cinco de la mañana de casa. Y allí me quedaba yo más sola que la una y pasando más miedo que con una película de Amenábar. Nos faltaba solo dar un paso: la boda. Y, a los dos años y medio, lo dimos.

Ocurrió, por lo civil, el 22 de mayo de 1993 en los Juzgados de Málaga y lo celebramos en los salones Lepanto. Yo llevaba un traje clásico de Matías Montero, con encaje de chantillí. Aunque estábamos alojados en el hotel Málaga Palacio, yo me fui a vestir de novia a casa de mis abuelos. Sus vecinos eran mi tía Amparo, la hermana de mi abuela y su marido, José María Abela, que había fallecido una semana antes de mi boda. Mientras me ponía la ropa me vino como un flash. Yo estaba muy fría. Agobiada. No tenía muy claro si después de dos años y medio la relación se había deteriorado. Me preguntaba si lo que estaba a punto de hacer era lo más conveniente. Pero no me voy a volver atrás: me caso.

Cuando salgo del juzgado estoy un poco como descentrada. Le digo a Miguel Ángel que se suba al coche. Nos dice el conductor:

—¿A dónde la llevo?

—A mí me lleva al sitio del que me sacó.

Y nos presentamos en casa de mis abuelos. Él no salía a la calle, estaba muy mal.

—Abuelo, que ya me he casado —le dije y no precisamente con mucho entusiasmo. Y llamo a la puerta de mis primos.

—¿Qué haces tú aquí?

—Nada, que ya me he casado... —les comenté a ellos con la misma dejadez que al abuelo.

—¡Lo tuyo es muy fuerte!

—Sí, ya estoy casada.

Ellos notaron que me pasaba algo raro. Y sin dudarlo un segundo, cambiaron de planes y dieron por terminado el luto:

—Nos arreglamos, nos vestimos, y nos vamos todos al banquete.

Me dieron una gran alegría. La que no tuve esa noche, mi noche de boda. Contra todo pronóstico, me llegó la regla. Una visita, pues, muy oportuna...

Nos vamos cuatro días de luna de miel a Roma. No se podía más tiempo, porque nosotros teníamos un espacio patrocinado por el BBVA que nos pagaban muy bien, y tenía que volver para hacerlo. Nos vamos al hotel Excelsior, nos dan una habitación maravillosa y se nos presenta una anfitriona excepcional. La mejor posible en Roma: Paloma Gómez Borrero.

Gracias a ella conocimos una Roma diferente. Y nos dice que nos va a llevar a la audiencia papal de Juan Pablo II.

—Paloma, que acabo de casarme por lo civil.

—¡Nada, mujer, eso no es ningún problema!

—Es que me voy a poner muy nerviosa.

—Tranquila, yo te voy a poner en la primera fila y cuando él se acerque, tú le dices: «¡Santidad, española!»

Y así lo hice:

—Santidad, le esperamos muy pronto en España.

Me pasó su mano por la cara y me dijo:

—¡Española!

Fue muy emocionante. Recuerdo que llevaba un vestido rosa de lunares negros. Y el pelo como de moldeado recogido con dos horquillas. El resto del tiempo Paloma nos llevó con su marido, en un Cinquecento, por toda la ciudad. Y fue la primera vez en la vida que pido unos raviolis y me traen tres en un plato. Tres gigantes, rellenos de espinacas. Nos subió hasta una especie de cerro y nos dijo:

—¿Veis esa puerta de madera destrozada, como si fuera la entrada a una casa abandonada?

—Sí.

—Pues ahora mirad por ese agujero...

Y de repente nos encontramos con una vista espectacular, grandiosa, bellísima: dos hileras de cipreses y al fondo, a lo lejos, la cúpula de San Pedro como enmarcada en el horizonte. Para compensar toda esa visión idílica, la verdad es que Roma me pareció una ciudad carísima. Un café y una Coca-Cola, mil pesetas. ¡Y de pie!

Ahora, cuando Paloma acaba de irse de la noche a la mañana, me impresionó reencontrarme tantos años después con su marido y sus hijos. Pero como no me quiero poner triste, prefiero recordarla cuando trabajábamos juntas y llegaba cada semana a hacer su espacio y entraba por la puerta como si fuera a poner un puesto en el mercadillo: pasta, quesos, tabaco... Venía con los encargos que le hacíamos. Y venía, siempre, con una sonrisa.

Volvemos a Madrid y empezamos con nuestra vida normal. Mejor dicho: con nuestra vida rutinaria, monótona. Tal vez en un intento de echarle un poco de sal a todo eso nos vamos a pasar la Nochebuena y la Nochevieja a Tailandia. El primer día que me despierto en Bangkok me asomo a la ventana y veo que la ciudad está envuelta en un extraño color. Bajo a recepción y pregunto:

—¿Es niebla?

—No, es mierda.

Una contaminación enorme que teñía todo el paisaje de un color oscuro e impregnaba el aire de suciedad. Eso, estaba muy bien definido por el empleado del hotel: era mierda.

En un gran mercado entro y arraso. Era el paraíso de las imitaciones. Me compré los reyes de toda la familia. Cuarenta polos a cien pesetas cada uno, relojes, bolsos... todo falso falsísimo. Hasta unos budas que después te mandaban a casa. No nos faltó detalle.

Fuimos a un restaurante en el que pude descubrir algo que desconocía: la comida china que tomamos aquí no es como la comida china. ¿Me explico? Y llegamos por fin a Phuket, cuyas playas me habían hecho soñar antes de conocerlas y que resultaron ser un absoluto fiasco. ¿Te vas al culo del mundo para eso? Y me bañé en la piscina, que me ofrecía más garantías de salubridad. *To pa na.*

Por supuesto que volamos en turista. Menos cuando estaba con Carlos, que era piloto de Iberia, solo una vez en mi vida he comprado un billete en Business. Esto que se sepa. Bueno, a lo que iba: en el avión de regreso, que por cierto pagamos una pasta importante por exceso de equipaje, de tanta mercancía falsa, casi me muero de frío. Yo, y el resto de los pasajeros, que sacaron sus jerséis. Todos, en fin, menos la azafata.

—¿Podría, por favor, bajar el aire acondicionado?

—No, porque nadie protesta.

—¡Pero ¿usted cree que la gente se está abrigando porque tiene calor?!

Y después de mucho insistir quitó el aire. Llegamos a Zúrich para enlazar con el vuelo de Madrid y me dicen que han perdido nuestro equipaje. Sí, esas bonitas maletas repletas de imitación y que nos habían hecho pagar una fortuna porque pesaban más de la cuenta. Por fin aparecieron y el día de Reyes fui la Baltasara de los polos. Por cierto, dieron un resultado buenísimo.

Cuando empiezo mi relación con Miguel Ángel yo estaba enamorada. Pero cuando me caso ya tengo la sensación de que algo no funciona en aquella pareja. Y entonces me pregunto si ha sido una buena idea la de formalizar nuestra historia. No es fácil hacerse uno mismo este tipo de reflexiones, pero hay momentos en los que te tienes que parar para tomar la temperatura de tus sentimientos. Estoy empezando a ponerme —más— cursi. Pero aunque la gente pueda tener otro concepto de mí, apuesto y fuerte por ese matrimonio.

Miguel Ángel, que era una buenísima persona, y yo no teníamos grandes discusiones. En realidad, no teníamos nada que mereciera la pena ser destacado. Él era muy tranquilo. Y me fue llevando poco a poco a este terreno, el suyo, en el que nunca pasaba nada. Ni bueno ni malo. Me alejé de los amigos, me aislé. No salíamos los fines de semana. Al principio esa calma te gusta, pero llega un momento en que te ahoga. No recuerdo que se le ocurriera ir aquí o allá, hacer esto o lo otro... No. Y yo era más inquieta. Yo necesitaba un poco de rock and roll.

Mi madre planea hacer dos casas adosadas en la urbanización Molino de la Hoz, la misma zona en la que vive actualmente. Aquellos eran unos chalés que se compraban sobre plano y que, por lo tanto, permitían modificaciones. Fuimos a ver los planos para ver qué cosas queríamos cambiar. Pero a mí no me estaba interesando nada aquello. Ni lo más mínimo. Mi cara era de ausencia, de total aburrimiento. Regresamos a nuestra casa y Miguel Ángel me dice:

—No te he visto muy interesada en lo de la casa.

—Antes de arreglar el chalé yo pienso que tenemos que arreglar nuestra vida. Aunque nuestra vida creo que ya no tiene arreglo.

Yo le quería mucho como persona, no como mi pareja.

Me hubiera gustado haber sido madre con él, pero las circunstancias de la vida no nos lo permitieron. No pudo ser. Eso quizá mermó la relación. O, al menos, acentuó aquel viaje a la deriva en que se había convertido nuestro matrimonio.

Y nos separamos. Una separación muy civilizada.

Empiezo a buscar piso en el centro de Madrid, donde están los bares de Madrid y los cines y los mercados de Madrid. Sí, necesito imperiosamente relacionarme con el mundo. Y el mundo, en ese momento, estaba en el corazón de la ciudad. Encuentro un piso en la calle Divino Pastor. Es perfecto: un primero, con portero veinticuatro horas y frente al patio de unas monjas.

A mi madre le digo las dos cosas: que me separo y que me voy a vivir al centro. Ninguna de las dos le pareció bien. La noticia le cayó como cien patadas en el estómago. De hecho ella marca distancias conmigo porque piensa que le he hecho una faena a Miguel Ángel.

Llevaba dos años y medio casada. Es decir, la ruptura no fue un arrebato, una ventolera que me diera de repente. Desde luego yo no estaba dispuesta a arruinar mi vida para siempre. Pero ella no lo veía así. Llegaba a trabajar a Prado del Rey y prácticamente ni me miraba a la cara. Así que me iba hecha polvo para casa y me refugiaba en amigos como Belén Rodríguez. Mi madre estaba ofendida no solo por la separación en sí, sino porque no me había ido a vivir con ella. Pero hay que entender que tal vez no era una buena idea meterme en casa de mi madre a los treinta años. Eso no pasaba por mi cabeza.

Ella seguía cabreada y yo sintiéndome muy sola. Mi vida era levantarme temprano para subir con una compañera de maquillaje a Prado del Rey a las ocho menos cuarto de la mañana. Después volvía a casa. No tenía ningún interés en cocinar para mí. Todas las noches lo mismo: una tortilla francesa. La cenaba sentada en el suelo, llorando delante de la tele; delante de aquel panorama en el que se había convertido aquel instante.

Poco a poco me voy recuperando. Mi madre y yo seguimos en estado de guerra fría. Hasta que al cabo de tres meses me llama al camerino. Abro la puerta y tiene una cara sonriente y alegre. Está feliz.

—Hija, tengo que darte una buena noticia.

—Dime.

—¡Miguel Ángel está saliendo con Mar!

Pues qué quieres que te diga, mamá. Fenomenal. Estupendo. Maravilloso. Genial. ¿Hacemos una fiesta para celebrar que mi ex marido tiene una relación con nuestra vecina? O sea, yo quedo como la mala porque tomo la decisión de cortar, pero al final la que está sola y sin pareja es una servidora. Y va mi propia madre y en lugar de preguntarme cómo estoy me dice que va a darme una buena noticia. ¿Buena, para quién?

A mí no se me llamó para preguntarme si estoy bien o si necesito algo. Sé que se va a molestar, pero esa es la realidad. En honor a la verdad, supongo que como me veía todos los días en el trabajo se quedaba más tranquila. Aunque bueno, ¿qué iba a hacer para que se fijara en mí? ¿Ir llorando al curro? Pues no. Pero cuando me quedaba sola, me quedaba más sola que la una.

Empezaron a desaparecer los nubarrones. Los fines de semana salía con mi hermana, Belén Rodríguez, su novio Fernando, que era padre de dos hijos, Manuela y Edu, y Rafa. Vuelvo a tener vida, a ir a los sitios; al cine, a los toros. También me relaciono con la pandilla de Pepe Barroso, y allí conozco a la que sería después mi gran amiga Nuria González, actualmente casada con Fernando Fernández Tapias. Solíamos quedar los jueves. Y acabábamos tardísimo. Pero al día siguiente yo tenía que ir a Prado del Rey. Ellos ponían la tele para ver si había ido a trabajar. Y flipaban: allí estaba yo.

Me voy con Belén y otro amigo a Nueva York, a pasar la Nochevieja de 1996. Allí se une a nosotros Mavi, otra amiga que estaba trabajando de *au pair* en Los Ángeles y que se queda en mi habitación. Nada más aterrizar ¿qué pasó...? Sí... efectivamente... volvió a pasar... parece mentira pero sí: mi maleta se había perdido. Aquello parecía ya una cuestión del Guinness de los Récords.

Lo primero que hacemos nada más llegar es ir a ver un gran show de Broadway: *Sunset Boulevard*, que lo estaba protagonizando una de los grandes de los musicales: Elaine Paige. Todo muy bonito, la muchacha cantaba de perlas, el decorado estupendo, la música grandiosa, el público muy majo... Todo perfecto, pero cuando todavía no habíamos llegado al descanso, Belén y yo nos quedamos fritas. Seguramente era una falta de sensibilidad con aquella mujer que era tan desgraciada porque un chulazo no la correspondía y ya sé que fue un acto muy irrespetuoso con una diva del teatro, con una dama suprema de la escena, pero después de tantas horas de avión te meten a ver ese drama y, la verdad, Belén y yo somos humanas: muertas en la butaca.

—¡¿Cómo os podéis dormir con Elaine Paige?!

Y nuestro amigo creo que nunca nos lo perdonó. Menudo es.

Al día siguiente fuimos a ver *Víctor Victoria*, en la que sería la penúltima actuación de Julie Andrews, muy enferma de las cuerdas vocales. La verdad es que la pobre mujer no podía casi tirar del carro. Su gran voz se había apagado. Y la actriz que interpretaba el papel secundario se la comía viva.

Llega la Nochevieja y un amigo de nuestro amigo nos invita a pasar la velada en su casa. Se llama Juan y estudiaba allí dirección de cine. El plan era que después de la cena en su apartamento de Chelsea nos iba a llevar a una fiesta que daba el peluquero de Cindy Crawford.

—¡Muy neoyorquino! —decía nuestro compañero de viaje y amigo. Cada vez que a él le parecía que venía a cuento, soltaba ese eslogan: ¡Muy neoyorquino! Los bares, la comida, las tiendas, la gente, para él todo era muy neoyorquino. ¡Coño, lo raro sería que fuera muy aragonés!

Lógicamente la casa del peluquero le pareció muy neoyorquina... A mí me pareció un poco cutre, la verdad. Al llegar, la gente iba dejando los abrigos en el suelo. Y a mí eso me parecía muy... neoguarrismo. Vamos, yo no iba a tirar allí mi abrigo de visón. La verdad es que nos lo pasamos muy bien. Muy bien en la fiesta, porque en la calle nos esperaba una sorpresita.

Juan viene con Belén, con Mavi y conmigo a buscar

un taxi que nos llevara al hotel. Qué risa, un taxi el día de Nochevieja a las tres de la mañana. Qué risa. Qué ilusas. Qué catetillas. Y encima a diez grados bajo cero. Todo ideal. Habíamos entrado en el nuevo año con buen pie. Literal: a caminar en dirección al hotel. Y a parar cada poco, del frío que hacía, en los bares que nos pillaban de camino. Veinte dólares por cabeza en cada garito. Lo que en taxi sería un recorrido de quince minutos, acabamos tardando tres horas. Al final, desafiando todas las recomendaciones y consejos y leyes de la seguridad, Mavi echó a correr escaleras abajo en una estación de metro. Y las demás, aunque acojonadas, detrás.

Dos días antes de regresar a España, fuimos a esperar a nuestro amigo y compañero de viaje a la salida de la ópera en una cafetería enfrente del Met. Lo digo así, porque seguramente a él le parecerá más neoyorquino: el Met. Nosotras a lo nuestro: a tomar copas, a jiji jaja y a algo más. Sí, sin que estuviera previsto, se me acerca un tío guapísimo, uno de esos tíos que salen en las películas de los domingos por la tarde, y me invita a cenar al día siguiente. Hay momentos en que no puedes ponerle puertas al campo. Este fue uno de ellos. Dije que sí sin pestañear, sin que me temblara la voz, sin pararme a pensar tan siquiera que a dónde iba yo con mi nivel de inglés de los montes.

Yo no sé cómo me pude entender con aquel hombre. Vamos a ver, para lo que se esperaba, para las expectativas y las apuestas que se habían hecho y la confianza depositada en la cena, la cosa no fue para tanto. No. Para qué lo vamos a mitificar. Digamos que la noche no fue para tirar cohetes. Un cohete no se puede tirar si antes no se enciende la mecha... Con qué delicadeza cuento a veces las cosas.

Nunca más le vi. Al día siguiente volvíamos a España. Pero todavía me quedaba por vivir una historia. Una historia muy, pero que muy neoyorquina.

Pese a estar ya en Madrid y él viviendo en Nueva York, no perdí el contacto con Juan. Empezamos a llamarnos por teléfono y me escribía unas cartas preciosas. Yo no iba a dejar pasar a aquel hombre. Y ni corta ni perezosa, a los pocos días regresé a su apartamento de Chelsea. Y esta vez para dormir allí, en aquella especie de futón que tenía en el altillo del salón, con lo cual tenías muchas posibilidades de darte cabezazos a la primera de cambio. No fue la única ocasión. En los meses siguientes vendrían muchas más. Me iba el viernes en el avión de Air Europa y volvía el lunes a las siete de la mañana para ir directamente a trabajar. No cabe duda: allí había pasión.

Y broncas. Una vez discutimos y yo cogí mi maleta, me subí a un taxi y al aeropuerto. Pero me pasó algo muy surrealista. Estamos parados en un semáforo y veo que están metiendo mi maleta en otro taxi. No lo estaba soñando. Era real. Me asusto, monto un pollo, hasta que el taxista me recuerda que ya me había dicho que íbamos a cambiar de coche. Y eso estábamos haciendo. No obstante yo no las tenía todas conmigo. De pronto, se forma una caravana y él se mete por una desviación que estaba perfectamente anunciada: al Bronx. Me eché a temblar. Ya creía que iba a acabar mis días tirada en una calle del Bronx. Pero la película no era así: el taxista era un hombre honesto, que había tomado ese camino para que yo no perdiera el avión. Le pago y le doy 100 dólares de propina.

—¡No, señorita, no!

Y yo, entre unas cosas y otras, con una llorera que no podía continuar.

—¡Sí, sí, *thank you, thank you*!

A veces hacemos unos peligrosos juicios de valor. Y las cosas no siempre son como parecen. O como nos parecen a nosotros.

Las llamadas de teléfono con Juan podían durar desde las doce de la noche hasta las ocho de la mañana del día siguiente. Llegué a pagar facturas de doscientas mil pesetas. Eso me trajo problemas para pagar el alquiler. ¡Qué burra soy! Era todo muy intenso. Y muy interesante: Juan es una persona culta y brillante, que me hablaba de cosas que me atrapaban. El amigo que nos presentó en Nueva York siempre cuenta que durante esa temporada yo me puse un pelín pretenciosa y subidita de humos, porque los llevaba a ver películas de cine húngaro o polaco en versión original. Según él eran unos tochos y solo las íbamos a ver porque me las recomendaba mi novio. Yo creo que, en el fondo, todavía tiene atragantado lo de Elaine Paige.

Juan viene a pasar quince días a España. Se instala en casa y, claro, una cosa es un fin de semana y otra unas vacaciones. Yo no quería un hombre metido en mi apartamento, pegado a mí las veinticuatro horas del día. Eso perjudicó la relación.

Me llevó a Gijón, a casa de sus padres, unas personas

encantadoras y hospitalarias al máximo que me enseñaron sitios preciosos de Asturias. El padre me preguntó en qué año había nacido. Le dije que en el sesenta y cinco. Y me abrió una botella de vino de ese año. Nunca lo olvidaré. Me trataron como a una reina. Pero yo no estaba seguramente pasando una buena época y rompí mi relación con Juan. Una persona excelente. Él nunca entendió por qué me bajaba tan pronto del barco. Pues quizá, querido Juan, porque no nos encontramos en el mejor momento; en ese instante adecuado para que las cosas fluyan.

En el verano de 1997 estaba a punto de conocer a un hombre definitivo en mi vida. El escenario, Marbella, concretamente un barecito de Puerto Banús que lo llevaba Armando Lozano hijo. La maestra de ceremonias, la que era o había sido novia suya: Lara Dibildos. Es ella quien me presenta a Alejandro, el primer hombre que, en vez de llamarme Terelu, me llama Teresa. Yo tenía unas entradas para ir a los toros al día siguiente con mi madre y con Nuria González. Ellos me preguntaron si podía conseguirles entradas. Dicho y hecho. A los toros.

Alejandro fue a buscarnos al hotel. Subimos en el coche, yo bajo el triángulo de la ventanilla y enciendo un cigarro. Entonces él, de una manera no brusca en absoluto, le da una palmada al pitillo y lo tira a la carretera.

—No se fuma.

Eso a mi madre le encantó. De hecho, a la salida de los toros mi madre ya lo tenía clarísimo:

—¿Sabes lo que te digo?, que este hombre me gusta para ti. Es un señor como Dios manda.

Ella estaba muy madre. Y como muy contenta de que apareciera Alejandro en el horizonte.

Empezamos a vernos, a ir a cenar, a pasar mucho tiempo en casa de Raquel y Carlos. Precisamente en ese lugar ocurre algo que me descoloca: a las doce de la noche suena su teléfono y se aparta de nosotros para contestar. Inmediatamente me hago la pregunta del millón: ¿con quién coño está hablando este tío a estas horas? Fuera quien fuese no me hacía ninguna gracia. Y, claro, yo no me iba a quedar callada:

—¿Con quién hablabas?

—Con mi hijo.

Me quedé muerta. Voy corriendo al cuarto de baño con las otras chicas y les digo susurrando, como si acabara de descubrir la penicilina:

—¡Tiene un hijo!

—Claro, ¿no lo sabías?

—¡Pécoras, por qué no me habíais dicho nada!

Tenía un hijo de nueve años. Y en ese momento me acuerdo de una cosa que había pasado hacía unos días con mi íntima amiga Esperanza Gracia, para mí *Chuqui* o *Chuquita*, una persona magnífica y que como profesional en lo suyo es totalmente honesta. Ella me echa las cartas y dice:

—Aparece un hombre mayor que tú. Pero está con un hijo.

—¿Un hijo?

—Sí, pero no es un hijo contigo...

Mi *Chuqui* tenía razón.

Un día fuimos a un concierto de Siempre así, otro a

un bar que siempre cerraban con El Fary que cantaba una rumba dedicada al toro y yo se la hacía bailar a Alejandro, cosa que a él le horrorizaba. Sí, ya estábamos saliendo. Ya nos habíamos dado algún beso y ya tenemos una cosa muy requetehablada: nos vemos en Madrid.

Quedamos para tomar algo en mi casa y salimos a la calle para ir a comprar unos canapés a la pastelería Mallorca. De repente, detrás de una columna, aparece un paparazzi. Alejandro lo ve, sale corriendo y me deja colgada a la puerta de casa. No me lo podía creer, pero era así: se fue como a la velocidad del rayo. Se agobió. Empezamos bien, pensaba yo mientras regresaba compuesta y con canapés a mi casa.

Pero al día siguiente volvimos a quedar. Y al otro. Y al otro también. Un fin de semana lo pasábamos en su casa y otro en la mía. El día de mi cumpleaños, el 31 de agosto de 1997, muere lady Di. Tuve que ir corriendo a trabajar. La noche antes, cenando en casa de Raquel, me había regalado el anillo de los tres oros de Cartier. Me quedé muy impresionada. Nunca me habían hecho un regalo así. Aunque llevábamos poco tiempo planeamos casarnos en diciembre. Pero no pudo ser: era muy precipitado. Así que fijamos la fecha definitiva para el catorce de marzo de 1998 en Santander. Lo teníamos claro.

Mi amigo Antonio Bañuelos nos ayuda a organizarlo y se ofrece a hablar con el alcalde de la ciudad, Gonzalo Piñeiro, para que podamos casarnos en el palacio de la Magdalena. Perfecto. Y yo sabía quién iba a ser mi padrino: mi tío, el hermano de mi padre, que además vive en

Santander. La madrina sería Ana, hermana de Alejandro. Testigos por parte de Alejandro: su hermano José María, Eduardo Salcedo y Juan Bonet. Por la mía: Nuria González, Lara Dibildos y Miriam Reyes.

Empezamos la locura de los preparativos. Cada dos domingos iba con mi madre a Alicante a hacer la prueba del vestido con Hannibal Laguna. Un avión, ver al modisto, ponerme el traje, y otro avión de vuelta a casa, para al día siguiente hacer *Con T de tarde*, en Telemadrid.

No queríamos una boda de quinientas personas. Antonio me dice que el sitio perfecto para el banquete es el Hotel Real. Capacidad máxima del salón: 210 personas. Nos reunimos con su director y cerramos todos los detalles.

Llegamos a Santander dos días antes de la boda. Esa noche cenamos un grupo de amigos, mi familia y el alcalde. El traje me lo llevaba Isabel, hermana de Hannibal. Un corpiño precioso y dos faldas iguales, por si una se estropeaba. Para el maquillaje iba Rosa, la maquilladora que tiene mi madre en Tele 5, y como peluquera mi amiga y compañera de Telemadrid, Toñi, además de Cheska. Llevaba un recogido muy sencillo. Como complemento, unos chatones de brillantes de mi madre que también han lucido mi hermana Carmen el día que se casó con José Carlos y mi hermana postiza, Rocío Carrasco en su boda con Fidel. Así fui el día de mi boda.

Ya faltaban pocas horas. La noche anterior cenamos Alejandro y yo solos. Y decidimos hacernos un regalo. Yo no tenía ni idea de cuál iba a ser el suyo y él tampoco sabía el mío. Pasa, entonces, una cosa sorprendente: él me regala un reloj de Bulgari y yo a él la versión para hombre del mismo reloj. ¡Dos relojes exactamente iguales!

Pero ahí no acaban las sorpresas. Faltaba otra, aunque en este caso muy desagradable. Alejandro bajó donde estaban cenando sus padres para enseñarles el reloj. Y cuando sube el reloj había desaparecido. ¡Imagínate el disgusto! Y el misterio. Se había quedado sin mi regalo.

Llega el día de la boda y estaba muy incómoda con la desaparición del reloj. Llamé a Antonio Bañuelos y le pedí que buscara uno igual por todo Santander. A las diez y media de la mañana Alejandro tenía ya en su habitación un Bulgari idéntico al que había desaparecido. La verdad es que no fue la única pérdida relacionada con aquella boda. Mi madre me había regalado para la ocasión una pulsera Riviere de brillantes y, para la pedida, un anillo que había encargado a Tous. Pues hace dos navidades lo perdí. El reloj que me regaló Alejandro se lo di a mi hija el día de su primera comunión.

—Alejandra, en mi familia tenemos la tradición de que en este día regalamos el primer reloj.

—Lo sé, mamá.

—Yo no puedo comprarte ahora el que a mí me gustaría, pero quiero que tengas este que me regaló papá el día antes de nuestra boda.

—¡Estupendo, mamá!

Estaba con el día de mi boda. Amaneció lloviendo a cántaros. Aquello no era llover: aquello era el cielo viniéndose abajo y el agua colándose por cada rincón de la tierra. Allí nadie decía nada. La gente hacía como si no les afectara, como si por aquellos cristales del hotel no se pudiera ver el torrencial, la catarata de lluvia. Hacían, en fin, como si yo fuera ciega y sorda. Y tonta.

A las doce empieza a caer menos agua. A las doce y media desaparece la lluvia y llega el sol. ¡Milagro! Los huevos que les habían llevado a las Clarisas habían funcionado. Y así, con un cielo limpio y espléndido, llego al palacio de la Magdalena del brazo de mi tío. Es el comienzo de lo que sería una boda preciosa. Las fotos que nos hizo Silvia Polakof son una prueba de lo estupendo que salió todo. Por cierto, no hice ninguna exclusiva. Esas imágenes las cedí a los medios que quisieran publicarlas. Me guardé algunas para mi programa. Eso creo que no es difícil de entender.

Todo el mundo comentó lo excelente que había estado la comida. Todo el mundo lo pasó fenomenal. Todo el mundo bailó. Y yo hasta canté *Soledad* con mi amigo Emilio José. Me hizo mucha ilusión que allí estuviera mi añorada María Antonia Iglesias, que me quería y valoraba. El alcalde fue muy cariñoso conmigo. Estaba Rocío Carrasco con el padre de sus hijos. Aunque el momento más emotivo me lo darían los primos de mi madre.

Como no sabían qué regalarme, pero tenían muy claro que tenía que ser algo especial, me entregaron en un marco la medalla de Jesús el Rico de mi padre. Fue el momento más emocionante del día. La tengo en mi dormitorio. Es la medalla protectora y viajera: cuando alguien de la familia está en un hospital, la llevo para que le ayude y todo salga bien.

Estábamos todos tan a gusto que me cambié de ropa

y nos fuimos a cenar a Santander. Me puse un vestido chino-japonés amarillo, de Doña Guiomar.

Al día siguiente, reventados, volvimos a Madrid. Y nos fuimos de luna de miel a Isla Mauricio. Recuerdo que a la ida y a la vuelta coincidí en el avión con Marta Chávarri. En el vuelo de regreso le cayó un zumo de tomate y me preguntó si yo llevaba algo de ropa en el equipaje de mano para que se lo dejara. Lo tenía todo en la maleta facturada, así que tuvo que ponerse un pareo. Desde entonces, como precaución, llevo siempre una maleta de mano con ropa para ponerme en caso de necesidad.

Estábamos en el hotel de Isla Mauricio cuando, de repente, aparece Félix, un fotógrafo de Marbella, y me dice:

—Hola...

—¡Félix, qué haces aquí!

—Pues nada, que os hemos hecho unas fotos.

—Pues mira qué bien...

—Pero si nos posáis, tiramos las que hemos hecho y en paz.

—¡No, hijo, no! ¡No hemos venido hasta aquí a hacer ningún reportaje! ¡Es nuestra luna de miel, no un reportaje patrocinado! Es un viaje que nos hemos pagado nosotros con nuestro dinero.

—Bueno, mujer, no te pongas así... ¿Quieres ver las fotos que te hemos hecho?

—¡No, muchas gracias, no participo de esto en absoluto!

Y luego, en las revistas, me vi en mi luna de miel. Ay...

En Madrid empezamos nuestra vida en común. Una vida normal en un piso que habíamos alquilado al final de la calle de Velázquez. Una casa que estaba bastante bien y que tenía tres dormitorios: para nosotros, para el hijo de Alejandro y para el que pudiéramos tener nosotros. O, mejor dicho, para el que no acabábamos de tener después de un año de casados. Y eso ya me estaba agobiando.

Me pasaba el tiempo con el test de ovulación en la mano. Pero cuando llegaba el momento oportuno resulta que había que ir a trabajar o se presentaba una inesperada visita. Vamos, no había forma de encontrar ni el sitio ni la hora ni la tranquilidad para quedarme embarazada. Pero hubo un día que lo cambió todo. Mejor dicho, una tarde. Habíamos ido a la boda de mi amiga Concha en Málaga. Nos vamos a comer al restaurante del hotel y, mira tú por dónde, que me da por hacerme el test. ¡Positivo! No había que perder ni un minuto.

—¡Alejandro!

—¿Qué?

—¡Que sí, que...!

—¡Vamos a intentarlo! Venga, una copita para animarnos.

Y nos fuimos a la habitación. En esto que llama a la puerta el peluquero. ¡Y yo corriendo a meterme en la ducha! ¡Qué estrés! Mira que nos habían dicho que para quedarte embarazada lo mejor era la pierna así o la pierna cruzada. Nada. Si tiene que ser, será. Como si te pones al pino y das cuatro vueltas de campana. Tengo claro que ese día, esa tarde, en aquel hotel de Málaga, me quedé embarazada.

Al poco tiempo, nos fuimos a Menorca con Lara y su

marido Fran, y nuestros vecinos, Aida e Ignacio, que le encantaba salir a navegar en su barquito. Yo me había comprado unos bikinis, y cuando me los pongo veo que me quedan pequeños. Qué raro... No acababa de llegarme la regla. Pasa un día, dos, tres... Me mosqueo. Y yo, que soy muy poco dulcera, de repente pasamos delante de una heladería y digo:

—¡Un helado! ¡Quiero un helado!

—¡¿Qué?! —contestan Lara y Aida—. ¿Tú que nunca tomas helado, quieres uno ahora...? ¿Tú que nunca comes mejillones ayer los pediste a mediodía...?

—Ya...

—¡Ahora mismo a por un predictor a la farmacia!

Sí: estaba embarazada. ¡Por fin!

Se lo dije a Alejandro:

—El test ha dado positivo.

—¿Seguro?

La verdad es que me hubiera gustado otro tipo de reacción por su parte. Tal vez se quedó en shock. No lo sé. Pero aquello, sinceramente, no me sentó muy bien. Llevaba toda la vida tratando de ser madre. Y lo iba a ser. Y con el hombre que quería. ¡Me parecía un momento maravilloso! Él se quedó paralizado. Esperaba de él otra cosa, más alegría... Creo que fue un poco frío. Eso me dolió. Y también me dolió que él y el resto de los compañeros de viaje me tuvieran ocho horas botando todo el día en el barco. No me gustó. Y estaba preocupada, por lo que llamé por teléfono a mi ginecóloga.

—¡Rocío, que me ha dado positivo, pero me tienen todo el día dando tumbos en el barco!

—Tranquila. No te preocupes. Ten un poco de precaución, pero nada más. Tú piensa en esas mujeres que se pasan diez horas al día en los arrozales, agachadas y embarazadas.

Es una cosa que me encanta de Rocío: no es nada alarmista. Siempre desdramatiza.

A mi madre y a mi hermana se lo dije en Marbella. Reaccionaron como me esperaba: felices y contentas. Y me aconsejaron que para estar tranquila en mis vacaciones no comentara nada hasta llegar a Madrid. Y así lo hice. O lo intenté hacer. Me llama Javier Osborne, de la revista *¡Hola!*

—Nos ha llegado la noticia de que estás embarazada.

Me quedo muerta y se lo niego:

—No, no es verdad.

—De acuerdo. Ya sabes que nosotros no publicamos nada sin confirmar.

—Lo sé.

—Gracias y adiós.

Cuelgo el teléfono y me entra cargo de conciencia. Podían pasar dos cosas: que otro medio dé la noticia o que se filtre mañana o ese mismo día. Como estaba incómoda, llamo a Javier.

—Perdóname: antes no dije la verdad. Tenías razón. Estoy embarazada. Solo te pido que me des cinco días, para acabar mis vacaciones en paz.

—De acuerdo, cinco; pero no siete.

Respetaron el pacto y la noticia salió estando ya en Madrid. Nunca me enteré quién fue su fuente. Al hacerse público el embarazo se monta un revuelo inmenso.

A partir de ahí, nada sería ya comparable a lo de los años anteriores.

Trabajé en Telemadrid hasta el último día. Mi vestuario en el programa pasó de ser el de una muñequita al de una embarazada. Ahora veo vestidos en los escaparates que me parecen maravillosos, muy bonitos. Hace diecinueve años aquello era sota, caballo y rey. Me hubiera gustado que, en lugar de invierno, esos meses fueran en el verano para ponerme uno de esos bañadores de embarazada que me encantan.

En ese tiempo me ofrecieron, gratis, clínicas para dar a luz y clases de parto. Pero yo lo tenía muy claro: mi hija nacería en la Fundación Jiménez Díaz. Trabajé hasta el último día. Llamo a Rocío y al decirle que tengo contracciones cada cinco minutos me ordena que vaya inmediatamente para el hospital. Pero yo, por si tenía que volver a Telemadrid, iba en el coche dándome un fondo de maquillaje, para que al volver fuera todo más rápido. Pero ya no volví. Quedé ingresada. Y yo, desde el hospital, pongo la tele y veo que está presentando el programa Antonio Albert. Me llaman y me piden que entre por teléfono. Y ahí que me ves a punto de parir y en pleno directo.

En el parto estaban presentes mi madre y Alejandro. Cada uno a cada lado de la cabecera.

—¡Empuja! —gritaba la matrona encima de mí—. ¡Empuja!

Y yo, que estaba pariendo, pero totalmente lúcida, veo a unos doce chicos jóvenes en el quirófano. ¡¿Quiénes eran aquellos desconocidos?! ¡¿Qué estaban haciendo allí, en mi parto?! Eran estudiantes de medicina. Qué cara de espanto no pondría yo, que mi ginecóloga, Rocío, se giró y les gritó:

—¡Fuera todos de ahí!

Era el 24 de marzo de 2000. Ese día nació mi hija Alejandra. Fue el momento más feliz de mi vida.

Cuando me la ponen entre los brazos, ella abre los ojos y me mira de una manera desafiante como diciéndome: «Ya estoy aquí.» Aunque era mi deseada hija, lo que tanto había soñado tener, me acojoné. ¡Dios mío, qué responsabilidad! Es una mezcla de felicidad y de miedo. La mayor responsabilidad de mi vida. El mayor reto. El orgullo más grande.

Ya sé que a mi hija esto que voy a decir no le va a hacer mucha gracia. Pero, cuando nació no era una niña especialmente guapa. No. Era más bien normalita. Ahora, en cambio, me parece una belleza, pero entonces no era así. Alejandro estaba muy emocionado y, con voz de culpabilidad, me dijo:

—Yo creo que no te gusta porque se parece a mí...

—¡Qué tontería!

El nombre de Alejandra no es por su padre. Es por su abuelo. Había tenido dos nietos y a ninguno le habían puesto su nombre: al hijo mayor de Alejandro le pusieron Sergio y a su segundo nieto, hijo de su hermana Dolores, Francesco.

—Cómo verás, de mí ha pasado todo el mundo. Nadie le pone mi nombre a sus hijos.

—El día que yo tenga uno, se llamará como tú.

Y así fue. Tenía previsto otros como Paula o Beatriz, pero le puse Alejandra por mi suegro. Y lo hice encantada de la vida.

En el hospital estuve cuatro días. Y por mí habría estado cuarenta. Yo no me quería mover de allí. Tenía pánico a no hacer las cosas bien. A las nueve de la noche entraba la enfermera en la habitación.

—¿Nos llevamos a la niña?

—¡Sí, sí, sí!

Me aterraba que le pasara algo estando conmigo por la noche. Y el padre llegaba y se iba a verla al nido. Estaba que le caía la baba. Y yo llamaba, así como en plan mimosa:

—¿Está mi marido ahí?

—Sí.

—Que venga, que estoy aquí sola...

Alejandro estaba feliz. Él ya tenía un hijo, y ahora el nacimiento de su hija le llenaba de orgullo.

Pero, como digo, no me quería mover del hospital. Me sentía protegida. Y todo el día recibiendo visitas y regalos de mucha gente. En una ocasión, se presentó el secretario de la infanta Elena y Jaime de Marichalar. Venía con un regalito y una nota: «Querida Terelu, estamos en Roma y nos hemos enterado del nacimiento de tu hija. Te mandamos este regalo para que lo tenga de recuerdo.» Y era un vestido, una rana de color blanco. Monísima.

Casi siempre estaba acompañada en la habitación. Pero un día estaba sola y aparece una mujer como de setenta años con su hijo de unos cuarenta. No sé por qué, pero pensé que eran familia de Alejandro. Habíamos contratado a un guarda de seguridad, que estaba a la puerta. Como todo el mundo que pasaba delante de la habitación quería entrar, con todos los respetos y todo el cariño, un bebé no puede estar tan expuesto. Por eso pusimos a ese señor ahí.

Pero estaba hablando de la visita. La mujer me pregunta qué tal estoy. Le digo que muy bien y, entonces, ella empieza a hablar:

—Qué bonita es tu hija... En este hospital me mataron a la mía, a mi hija...

En ese momento me invade el terror y pienso: estos vienen a quitarme a mi niña. No puedo explicar lo que sentí. Muchas cosas y todas malas. Así que me armé de valor y le dije:

—Señora, vamos al saloncito, que estaremos más cómodos.

Yo solo quería alejarla de mi hija, apartarla de ella todo lo que el espacio de una habitación de hospital te puede permitir. No sé cómo, pero consigo abrir la puerta y le digo al señor de seguridad en voz muy baja y muy aterrorizada: «¡Sácamelos de aquí!» Y se los llevaron.

Cuando se lo comento al doctor me contó la historia:

—¿También ha estado aquí? Lleva así varios años, muchos años, porque dice que su hija murió aquí por nuestra culpa.

Una historia muy triste. Y al conocerla me entró una pena infinita por aquella pobre mujer.

Aunque yo me hubiera quedado a vivir allí, a los cuatro días abandono el hospital. Me incorporo a trabajar a los quince días. Y yo necesitaba a una persona que me cuidara a Alejandra. Mi amiga Mayi me dio la solución: una salus, Arantxa. Sería como una bendición para mi hija. Ella tenía dos mellizas, Almudena y Cristina. Estaba separada y era una profesional impresionante. Nos seguimos viendo una o dos veces al año, y además luego fue madre de otras dos mellizas.

Junto a Arantxa estaba Bibiana. Magnífica. Yo fui madre sabiendo que podía permitirme en ese momento la ayuda necesaria para cuidar a mi hija. A los pocos días ya estábamos Alejandro y yo de cena con nuestros amigos. Nos fuimos a celebrarlo a Zalacaín. Estaba loca por comerme un Steak Tartar porque durante el embarazo no me dejaban. La vida continúa.

Como creyente que soy, tengo la teoría de que a un niño cuanto antes se le bautice, mejor. Para hacerlo tuve algún problema. Voy a la iglesia que estaba enfrente de donde vivíamos, Santa Gema, y el párroco me dice que está todo completo. Solo hay una alternativa: hacer un bautizo comunitario con otros niños.

A ver cómo explico esto. Yo no tengo ningún problema en bautizar a mi hija con otros niños. Al contrario. Pero hay que ser conscientes de una cosa: tengo un trabajo público. Eso iba a implicar la presencia de cámaras a la entrada de la iglesia. Consecuentemente iba a incomodar a las otras familias que, sin comerlo ni beberlo, tendrían que pasar por ese trago. Yo no quería dañar la intimidad de esas familias; no quería que se vieran expuestas a los fotógrafos por mi culpa.

De alguna manera, el párroco entendió mi punto de vista. La única posibilidad era celebrar el bautizo a las dos de la tarde. No era, desde luego, el mejor de los horarios ni el más adecuado para el almuerzo posterior, pero era la mejor opción posible.

Bautizamos a Alejandra el día 3 de junio en Santa Gema y después nos fuimos a comer al hotel Santo Mauro. A su padre y a mí las cosas nos iban bien. Nos lo podíamos permitir. Allí estaban personas que me habían demostrado en el tiempo un gran afecto. Rocío Jurado y José Ortega Cano, Sara Montiel, con la que salíamos a cenar con amigos comunes, Nati Mistral, Concha Velasco, con la que siempre hemos tenido una relación de afecto... y Belén Esteban. No era amiga como tal, pero siempre había tenido hacia ella una postura de apoyo. Ella me había invitado al bautizo de Andrea, en Sevilla. No pude ir, porque estaba a punto de dar a luz a mi hija. Y la invito por esa gran deferencia que ella había tenido conmigo. Fue con Andrea y con Cristina Blanco, la vidente, que entonces trabajaba con nosotros, porque eran amigas y se iba a sentir más arropada.

Fue un día muy bonito. Pedí permiso a Santa Gema para que fuera a bautizar a mi hija el padre Isaac, gran amigo de siempre de la familia. Como padrinos estaban mi hermana Carmen y Javier, hermano de Alejandro. Elegí a mi hermana porque yo era ya la madrina de su hija. Pero, sobre todo, porque si algún día me pasa algo sé que ella la cuidará magníficamente. Y Javier lo mismo: una persona estupenda y discreta. Yo tenía muy claro que tenía que ser él.

Como estaba previsto, nos pusimos a comer a las cinco de la tarde. Fue un día inolvidable.

Cuando Alejandra tiene un año, decidimos que por

primera vez en lugar de Marbella nos vamos a ir a La Toja. Allí está mi madre, Nuria, Fernando... Todo estupendo, pero, claro, esa belleza de paisaje tiene un precio: la lluvia. Tuve que ir a O'Grove a comprarle a mi hija camisetas interiores de manga larga. Por lo demás, un verano inolvidable.

Mi hija va creciendo y yo me voy planteando muchas dudas. Un hijo te obliga a dos cosas: tomar decisiones y tomarlas sin equivocarte. Casi nada. Yo le daba vueltas a varios temas; entre ellos, que mi Alejandra era hija de una madre fumadora que no había dejado ese maldito hábito durante el embarazo. Todavía hoy tengo ese cargo de conciencia. Mi hija, no obstante, está perfectamente sana.

Su padre, Alejandro, es una persona muy valiosa en su trabajo. Con el permiso de sus hermanos diré que ha sido él quien ha sacado adelante el negocio familiar de las ópticas. Él con su trabajo y yo con el mío podemos criar a Alejandra sin problemas. Cuando tiene poco más de un año nos cambiamos a una casa nueva y, en esta ocasión, comprada. El día que vi el chalé piloto me enamoré de lo que, tiempo después, sería nuestro hogar.

Cuando digo la palabra «hogar» me viene una cierta nostalgia de lo que pudo haber sido y, finalmente, no fue. La vida pasando y la relación con mi marido se va deteriorando. Nunca habíamos tenido grandes broncas. Casi ni siquiera pequeñas. Todo se reducía a diferencias de opinión. Pero aquello se va apagando. Ninguno de los dos decimos nada. No le ponemos voz a lo que estaba pasando. Silenciosamente, sin hacer ruido, la vamos dejando morir.

Muchas veces me he preguntado qué habría pasado si

hubiéramos continuado, entonces, nuestra historia. Sinceramente no lo sé. En una circunstancia igual, hoy en día es posible que aguantáramos más, que hubiéramos puesto cada uno por nuestra parte más para salvar nuestro matrimonio. Me casé con él queriéndole y queriendo estar a su lado el resto de mi vida. Y hubiera deseado tener otro hijo con él. Tenía claro que cuando fuera madre, el padre no iba a ser cualquiera. Por eso Alejandro es el padre de mi hija. Y en el verano del 2002 decidimos separarnos.

Una cosa fue decidirlo y otra llevarlo a cabo. El amor había desaparecido, pero entre nosotros no había ningún problema. Era una relación cordial y respetuosa. Por lo tanto nosotros podíamos salir a cenar con nuestros amigos sin que nadie notara nada. Era todo tan cómodo en ese sentido que, por no estropearles el verano a nuestras familias, acordamos dejar el tema para septiembre. Pero claro, llega septiembre y, total, para lo poco que faltaba para Navidad, también lo posponemos para diciembre. Llega diciembre y los dos estamos de acuerdo en que no es una fecha muy apropiada. Aquello se iba alargando. Parecía que nunca íbamos a consumar nuestra separación. Podríamos haber seguido así durante años. Pero teníamos que separarnos: era una manera de decir que no estábamos conformes con algo que nos impedía ser felices. En febrero, ocho meses después, Alejandro y yo nos separamos.

Creo que la que más apostaba por esa decisión era yo. Pero Alejandro es muy respetuoso y entendió que si yo estaba en ese punto sin retorno era muy complicado avanzar en nuestro matrimonio. Yo tenía una cosa clara: era el padre de mi hija. Tanto él como yo hemos demostrado, en ese sentido, nuestro talante positivo. Yo he aguantado cosas de Alejandro que no me gustaban. Y él ha aguantado cosas mías que tampoco le gustaban.

Al principio es más difícil mantener una amistad, porque todavía hay dolor; todavía están las heridas abiertas. Pero fuimos capaces de superarlo porque el objetivo de los dos era que Alejandra fuera una niña feliz, que no tuviera nunca ningún problema en nombrar a su padre delante de su madre, ni a él delante de ella. Por encima de nuestros intereses, de nuestras no siempre coincidentes opiniones, era ella.

Yo fui preparando a mi madre.

—Mi relación con Alejandro está en punto muerto.

Mi madre me lanza una mirada demoledora y me dice:

—No, tú te aguantas. Tú has tenido una hija y te aguantas.

Vale, lo que quieras. Pero llegó un momento en que dije no. Pocos días antes de formalizar la separación nos fuimos a cenar con nuestros amigos. Ellos agradecieron que se lo contáramos nosotros. Algunos se quedaron muy sorprendidos. No tenían ni remota idea. Ni la más mínima sospecha.

Cuando fuimos a ratificar el divorcio, la jueza nos pasó a una sala. Ya sabía que nos llevábamos muy bien por mis comentarios en la tele. Abrió un armario gigante y dijo:

—Todos estos también se llevaban fenomenal. Así que el día que no lleguéis a un acuerdo, esto es muy sencillo: hay que ceñirse a lo firmado.

Han pasado catorce años. Nunca hemos tenido ningún problema para que Alejandra estuviera, por ejemplo, unas vacaciones con uno y el año siguiente con el que le tocase en ese momento. Siempre así, menos en Semana Santa, que Alejandro siempre ha entendido que la niña disfruta mucho en Málaga.

Ojo, no todo es de color de rosa. Como cualquier matrimonio separado tenemos nuestras diferencias. Uno no rompe una relación a la ligera. Es decir, hay un mar de fondo en todas las rupturas. Lo que pasa es que unos se ahogan en esas aguas y otros logran salir a flote.

No voy a negar que en alguna época no me hubiera gustado que padre e hija tuvieran una relación más estrecha. Ahora sí, ahora es un trato más de tú a tú. Hemos sido los dos mutuamente generosos: cuando el otro ha querido estar más tiempo con la niña, ni él ni yo hemos puesto ningún problema.

Alejandro y yo tenemos las imperfecciones lógicas de una pareja separada. A partir de nuestro divorcio, yo he tenido otras relaciones que han durado más o menos en el tiempo. Hay un dicho muy sabio: otros vendrán que bueno me harán.

Esa frase la he recordado mucho en mi vida. Cuántas veces no habré pensado: «Virgencita, Virgencita, que me hubiera quedado como estaba.» Eso no quiere decir que en este tiempo no haya tenido experiencias buenas y personas a las que no haya querido mucho. A algunas más que a otras, claro. No me voy a parar en reseñar esas parejas, porque creo que las personas más importantes de mi vida han sido mis maridos. Y Alejandro el más importante. El más decisivo. El que está por encima de todos los demás. Eso no quiere decir que haya querido más a Alejandro que otra pareja. No. Solo digo que es el hombre más importante de mi vida. Aunque yo mañana sea muy feliz con un hombre, nada me unirá tanto a él como me une con Alejandro. Me refiero, lógicamente, a nuestra hija.

Y tener un hijo es algo muy complicado. Nunca sabes si aciertas. Pero, pese a ese riesgo, me hubiera gustado haber tenido otro hijo. O hija. Dicen que siempre es mejor dos niños o dos niñas, porque hay más complicidad entre ellos. Aunque yo, si hubiera podido elegir, le daría un hermano a Alejandra.

Pasa el tiempo volando. Al principio quieres que todo ocurra a gran velocidad, que ese ser tan pequeño crezca rápidamente para que, por lo menos, te diga dónde le duele. Pero luego, como me pasa ahora, lo que te gustaría es calmar al tiempo, hacer que vaya más despacio, que no dé esos pasos de gigante y que, de pronto, tu hijo se haga mayor. ¿Cómo es posible que Alejandra tenga diecisiete años? ¡Dios mío! Siempre ha sido una niña muy buena, que se ha criado entre mayores. Su vocabulario siempre ha sido el de alguien más mayor. Eso no ha quitado que heredara de nosotras una costumbre: el chupete para dormir hasta casi los cinco años.

En el colegio ha sido una alumna aplicada, con buenas notas. Sin embargo, hace dos años tuvo una etapa complicada. Yo creo que fue una reacción a cuando, a los once años, se entera de que su madre está enferma. Yo intentaba educarla alejándola de esa circunstancia, que creciera sin miedos. Pero ahí estaba ese tema agazapado.

Y acabó por salir. Y fue una Alejandra más rebelde de lo habitual. En realidad, estaba sacando fuera aquel dolor. Aquella angustia.

Nunca he sido capaz de sentarme a hablar con ella y preguntarle qué había sentido en ese momento. No lo he hecho por pudor, porque si ella nota que a mí me pasa algo, se descompone.

Espero que sea una mujer feliz, y que el hecho de ser mi hija no le condicione; o sea, no le joda la vida. Creo que tiene derecho a su privacidad. Y cuando cumpla dieciocho años, hay que respetarla por mucho que sea la hija de Terelu. Quiero que su vida sea normal, que tenga amigos, que vaya a la universidad, que se aparte de todo esto. Lo reconozco: no me gustaría que se metiera en este mundo. Pero no siempre está en la mano de uno que los hijos hagan lo que quieres. O más difícil aún: lo que no quieres.

Mi hija es el pilar de mi vida. Los últimos años han sido muy irregulares para mí en cuestiones profesionales. He vivido momentos mejores y peores. No sé dónde estaría ahora laboralmente si no existiera Alejandra. No lo sé. Sí sé que habría tenido más libertad para elegir lo que quería hacer en determinadas situaciones. Cuando uno es padre o madre, tiene una responsabilidad para toda la vida.

Por todo esto, trato de educarla para que sea una buena persona, para que no mienta, porque eso no te lleva a ninguna parte. Quiero que sea generosa con los amigos, cariñosa con ellos, con nosotros. Ella decidirá, a partir de ahí, lo que quiere ser. Y lo más importante: quién quiere ser.

Desde que tenía tres años la llevaba al colegio. Cuando

estaba haciendo *La granja*, en Antena 3, iba los domingos a grabar a Barcelona hasta el miércoles, que regresaba en el avión de las siete de la mañana. Me levantaba a las cinco y media para llevarla a clase. Era algo fundamental para mí. Eran solo dos minutos, pero quería que supiera que yo estaba allí. No me importaba ese pequeño esfuerzo: quería que notara que estaba fuera de casa el menor tiempo posible. No sé, pero tengo la impresión de que ese tipo de cosas son más nuestras que de ellos. Los hombres, en ese sentido, son más prácticos: «Total, para dos minutos, ya la veré luego en casa.» No digo que sea malo. Pero creo que es diferente.

Cuando caí enferma me levantaba para desayunar con ella, para que se fuera al colegio tranquila, sabiendo que su madre estaba bien. Todavía hoy, antes de salir para clase, entra todos los días en mi habitación para darme un beso. Y ese es mi mayor éxito. No lo cambio por ningún programa, por ningún dato de audiencia, por ninguna gloria de la televisión.

Mientras era pequeña yo creo que ella no tenía mucha conciencia de que su madre era una persona conocida. Únicamente si íbamos a algún sitio y me paraban para hacerse fotos conmigo, protestaba:

—¡No, mamá, no!

Con nueve años la cosa cambia:

—Mamá, que quieren subir a casa unas amigas para que les firmes unos autógrafos y que quieren hacerse unas fotos contigo.

—¡Hija, pero si estoy en pijama! Bueno, sí, claro, diles que suban.

Y ya de mayor su actitud cambia en función del día: unos le molesta y otros no le importa; sobre todo cuando me pide que le consiga entradas para la actuación de un cantante. Para eso está muy bien tener una madre famosa...

Pero la verdad es que cada vez somos más cómplices. Sí, muchas veces me llama:

—Mamá, vente que estoy con unos amigos tomando algo.

—Hija, estoy ya metida en casa.

—Anda, vente que estamos aquí pasándolo muy bien.

Y voy.

Y eso quiere decir que, tal vez, no lo haya hecho nada mal como madre.

¡MADRE MÍA!

Sí, ¡madre mía! ¿Cuántas veces no me habrán preguntado si es difícil ser la hija de María Teresa Campos? ¡Cientos! No sé si la respuesta ha ido cambiando con los años. Lo que sé es lo que pienso a fecha de hoy: No lo sé. De verdad que no lo sé. Voy a ponerme —más— cursi: nada es blanco ni negro; hay matices, está el gris... Una empieza así y acaba diciendo que una cosa es ser femenina y otra feminista. O que no hay que confundir la libertad con el libertinaje. Pues en esto, ocurre lo mismo: no todo es bueno, ni malo.

Con la edad, supongo que se va modificando la percepción que tienes de la gente. No digamos ya de tu propia madre, de esa mujer con la que tienes una gran dependencia cuando eres niño y que cuando te haces mayor, si la sigues teniendo estás perdido. Hay que soltarse, aunque sea un poquito.

La primera imagen que tengo de ella es en la radio. Para mí escucharla en sus programas era una cosa natural. También sé que es una madre diferente a otras muchas. La mía trabajaba y muy duro. Desde abajo y sin descanso. Ella no se convierte en una estrella de la noche a la mañana. Yo era hija de Mari Tere.

Cuando nazco, ella es una persona querida y admirada en Málaga. Me crie sabiendo eso. Pero sin darle tampoco más importancia. Aunque según iba creciendo me iba dando cuenta de su valía como profesional. No obstante, por encima de cualquier cosa, yo la veía como mi madre; como aquella mujer que llegaba de la radio, nos bañaba y nos daba de cenar. Desde esos primeros años hemos tenido una relación muy estrecha y continua en el tiempo. Aunque estuviera casada, no fallaba nunca a la hora de cenar en su casa. También es verdad que, por cuestiones de horarios, hay temporadas que nos vemos más y otras menos. Y poco a poco noto que van cambiando los papeles: cuando eres joven tu madre cuida de ti. Pero luego; es decir, ahora, siento que tengo que ser yo la que cuide de ella.

Por mi madre no mato: en cualquier caso muero, que me parece lo correcto. Su sufrimiento es más que el mío propio. Yo solo quiero su bienestar, como supongo que cualquier hijo. Igual que ella, como muchas personas, ha luchado mucho. En su caso tuvo la suerte que la vida se lo recompensó. Le llegó con cincuenta años. Pero le llegó. Y no me refiero solo a un reconocimiento en cuanto a popularidad, sino también, no hay por qué ocultarlo, en un plano económico.

Ha podido vivir bien de su trabajo; aunque siempre ha vivido con preocupación, pendiente de que toda la familia estuviéramos bien. Por eso ahora creo que es el momento de que nosotros, al menos sus hijas, la cuidemos a ella. Como madre siempre se ha desvivido por darnos lo mejor. Hemos sido su prioridad. Nosotras y sus nietos. Con ellos, desde que nacieron, ha tenido una relación muy especial. De niños les contaba cuentos, les ha dedicado mucho tiempo. Quizá todo lo que en un momento dado no pudo hacer con nosotras, lo hizo posteriormente con unas personas que adora: sus tres nietos.

Coincide con mi abuela en un sentido considerable de la justicia. Eso es algo muy arraigado en ella. Como su capacidad de empatía. A mi madre le cuesta mucho no ponerse del lado de quien lo pasa mal. No me ha educado en el odio, en el rencor o la venganza. Si yo fuera rencorosa, mi vida habría transcurrido por otros caminos. Por el mal camino.

La enfermedad de Carmen y la mía dejan muy tocada a mi madre. Pero sobre todo su propia enfermedad. Eso le cambia la vida. Y se convierte en una persona en la que aflora su gran debilidad. Sí, la tiene, pese a que pueda aparentar lo contrario. A veces, la gente piensa que es como una roca. Y lo es, sí, pero en sus principios fuertes y firmes. He admirado siempre su lucha por los derechos de la mujer, por enfrentarse a esa lamentable creencia de que las amas de casa son mujeres de segunda, por el mero hecho de trabajar —y mucho— entre las cuatro paredes de un hogar. Ha estado siempre en contra de que se desprecie sus cualidades intelectuales, su cultura; ha plantado cara a los que ven a esas mujeres como carentes de inquietudes. Contra todo eso ha estado mi madre toda su vida.

Ella ha hecho programas para mujeres y hombres; no para amas de casa, en el sentido de que hay que darles temas insustanciales y de tratarlas como si no fueran capaces de pensar. Eso a ella le ha ofendido. Vio el ejemplo en casa, con su propia madre, una mujer que atendía a su familia, pero al mismo tiempo tenía inquietudes. Y luego había que aguantar aquella frase despectiva, clasista y machista; aquella frase que descalificaba a los que la pronunciaban: «Hace programas para marujas.»

Eso la ofendía a ella, pero sobre todo a las mujeres que veían el programa. Mi madre nunca ha subestimado a su público. Jamás. Siempre ha considerado que es igual de valioso un hombre que trabaja en la calle que una mujer que lo hace en casa. Con un añadido: el de ella, además, es más ingrato.

Mi madre coincide con mi hermana en una cosa: su gran sentido del espectáculo. Es una mujer entregada a su trabajo, apasionada con su profesión. Cuando alguien, como ella, pone corazón en las cosas que hace, al final le llega el reconocimiento de la gente y el afecto del público. Y yo creo que mi madre recibe todo eso de la gente. Sí, pese a que a veces pueda parecer lo contrario. Me refiero a las redes sociales. Creo que a través de esos canales te dicen más cosas buenas que malas, pero como las malas son tan malas, tan increíblemente malas, pues parece que solo hay eso. Y no es verdad.

Yo creo que el respeto se gana con los años. No es algo con lo que se nace. No vienes de fábrica con el respeto puesto. No. Eso es como un buen guiso: lleva su tiempo. Creo que mi madre lo ha logrado. Pero hay gente que confunde el respeto con el miedo. Y eso, en cambio, es algo muy diferente. No me gustaría que me tuvieran miedo. A lo mejor hay personas que sí, que les gusta que las teman. Quizá piensen que eso les hace sentirse más fuertes.

Si alguien ha tenido miedo a mi madre, se ha equivocado. Es una mujer con carácter, desde luego; pero siempre ha sido dialogante y ha intentado darle la oportunidad, la primera oportunidad, o incluso una segunda, a muchas personas. Ella ha tenido en su equipo a alguna persona que a lo mejor no era muy válida para el puesto: jamás la ha echado. Ha preferido cargarse ella de trabajo antes que poner en la calle a alguien que tiene unos hijos que mantener. Ella no podría seguir adelante con la sensación de que ha jodido la vida a alguien.

Espero que pueda arreglarse todo o que pueda hacerlo yo, para que ella tenga el retiro que tanto se merece. Sueño para mi madre una vida cómoda y respetada como hace ella con los demás. Una vida sin sobresaltos, probablemente con largas temporadas en Málaga, con su familia, con sus amigas de siempre. Y luego con escapadas a Madrid para vernos a nosotros, para ir al teatro y a esas exposiciones que tanto le gustan. De verdad que no necesita tanto para ser feliz. Necesita, simplemente, tranquilidad. Eso pasa porque sus hijas y sus nietos estén bien y estén trabajando. Eso me haría inmensamente feliz.

Como digo, la enfermedad ha supuesto un cambio para ella. Recuerdo que estábamos en Marbella, en el verano de 2008, y me dice que le está pasando algo raro.

—Tengo un bultito en la garganta.

—Nada, será un ganglio.

—Pues no se me pasa. Y ya llevo días con esto.

Llegamos a Madrid y la llevo a mi otorrino, el doctor Vergara. Le da un antibiótico y le manda volver en quince días. Vuelve y aquello sigue igual. Le hace unas pruebas. Llega, entonces, aquel momento tan horrible:

—Es malo.

Inmediatamente veo en su cara el miedo, el pavor ante la que se le venía encima.

—¿Eso qué significa, doctor?

—Que tiene usted un tumor.

Cuando escuché eso, me cogí a una mesa de la consulta para no desplomarme delante de mi madre. Hice un gran esfuerzo por no venirme abajo, porque ella no notara que la noticia me había caído como una bomba. La operan. Sale todo bien, pero llega un posoperatorio complicado. Mi madre quería salir ya del hospital, pero no le dan el alta hasta que trague bien la saliva. Y ahí me veo, sujetándole el vaso, mientras ella intentaba tomar un café por una pajita. ¡Qué sufrimiento! Estaba haciendo un esfuerzo descomunal. Le estaba costando mucho trabajo, pero ahí estaba con esa cosa tan suya y que yo tanto admiro: su enorme fuerza de voluntad. Como la conozco sé lo que pensó: «Yo quiero irme de aquí y la única manera es tragando esto como sea.» Y se fue.

Pero las dificultades no habían terminado. Su tratamiento posterior incluía treinta sesiones de radioterapia. Un panorama complicado para alguien que, como ella, padece claustrofobia. Al verla por el monitor allí metida y con una máscara que le habían hecho para radiar exactamente la zona afectada, me vengo abajo. Incluso ahora, tanto tiempo después, cierro los ojos al contar todo esto, lloro y se me quiebra la voz al recodar aquella imagen de mi madre, tan vulnerable, tan asustada y tan valiente. No puedo contener las lágrimas mientras pienso en todo aquello que vivió. Que vivimos.

Mi madre estaba en unas buenas manos. Su oncólogo, el doctor Calvo, tuvo un comportamiento extraordinario. Incluso cuando tuvo que decirle que estaba equivocada, que no había terminado el tratamiento: le faltaban dos sesiones. Y allí ella perdió el control:

—¡No me las voy a dar!

—Mamá, no tienes más remedio.

Y en pleno ataque de rabia o de impotencia o de pánico o de hastío, se tiró al suelo absolutamente descompuesta e insistiendo que ella no se iba a dar más radioterapia. Que no tenía fuerzas. Que no podía.

—Mamá, por Dios, claro que puedes.

Y pudo, claro que pudo. Estaba salvada, aunque con importantes problemas. Se quedó sin saliva, lo que suponía una traba para tragar. Perdió el gusto. Nada le sabía a nada; solo a plástico. Si antes comía poco, a raíz de esa enfermedad pasó a desinteresarse completamente por la comida. Y ella que no bebía prácticamente nada, desde entonces tuvo que acostumbrarse a una compañera de viaje: una botella de agua. La llevaba a todas partes. Tenía que estar bebiendo continuamente. Afortunadamente se ha recuperado mucho. Pero su paladar nunca podrá ser ya el de una persona normal.

Aquello fue uno de los peores momentos de mi vida; peor incluso que mi cáncer. A día de hoy es una prueba superada. Pero eso la debilitó mucho física y psicológicamente. Desde entonces yo creo que mi madre vive con miedo. Mal asunto. El miedo te paraliza. Ahora la llamas por teléfono y a veces te contesta sobresaltada.

—¡¿Qué pasa?!

—Nada, mamá. Solo llamaba para saber cómo estabas.

—Ay, hija, qué susto me has dado.

Lo que yo pienso es que tiene una depresión. Todo le afecta de una forma profunda. Y ahora tiene una relación sentimental mediática. Eso nunca le había pasado. Sus anteriores parejas no eran famosas. Ella tiene una teoría: el hombre de tu vida es el último con el que estás. Y ese, en este momento, es Edmundo.

Durante muchos años el hombre de su vida fue mi padre: con él tuvo dos hijas. Y le quería. Otra cosa es que en los últimos años su relación se deteriorara. Pero mi madre fue muy feliz con su marido. Y fue también muy generosa: prefería callarse para no pelearse con él.

Pero, sin lugar a dudas, quien ha sido uno de los hombres más importantes de su vida ha sido Félix. Yo tengo una teoría: ellos terminaron porque él, que era arquitecto, no estaba de acuerdo con el tema de hacer la casa que quería mi madre. Y a veces pienso que cuánta razón tenía Félix. Ay... Lo que él intentaba con esa actitud era simplemente cuidarla, protegerla.

—Teresa, ¿para qué te vas a hacer esa casa?

Mi madre insistía. Le pidió que hiciera el proyecto. Él nunca lo llegó a hacer. No. Ni un plano. Él no quería hacer esa casa. Con lo cual mi madre se lo encarga a otro arquitecto. Resultado: la pareja se resiente y se acaban distanciando.

Pero para mí Félix nunca dejó de ser lo que era, alguien importante en mi vida y en la de los míos. Para mi hija era el abuelo Félix. Ya separados voy a celebrar mi cumpleaños.

—Mamá, he invitado a Félix.

Mi madre encantada. Yo creo que tal vez estaban a punto de acercarse de nuevo. No sé. Era maravilloso, aunque muy especial. Cuando cogía el teléfono siempre respondía lo mismo:

—¡A ver!

Era muy burro en el sentido de cabezón.

—Me voy a andar unos kilómetros.

—Pero, chiquillo, ¿dónde vas a la una de la tarde con estos calores?

Y nada: se echaba a andar.

Tampoco le gustaba mostrar sus cartas. Era un hombre con una capa de dureza. A lo mejor le llamaba por teléfono y al despedirme le decía:

—Félix, te quiero.

Y él se ruborizaba. No quería hacer visibles sus afectos.

—Bueno, bueno, ya hablamos otro día.

Se ponía nervioso y cortaba. Si tú le hablabas de sentimientos, él se salía por la tangente. Como digo, en mi opinión, mi madre tenía la ilusión de volver con él aunque nunca lo manifestara abiertamente. Pero murió. Con sesenta años cayó fulminado por un ataque al corazón a la puerta del Colegio de Arquitectos de Málaga. Era un hombre sano que no bebía, no fumaba, hacía ejercicio... Y era, sobre todo, un hombre bueno.

Mi hermana y yo fuimos al entierro en Vitoria. Fue un momento difícil para nosotras por la reacción de algunos de sus familiares. Era un poco como si pensaran: «Aquí vienen estas.» De hecho, no se nos permitió ir al entierro. Después mi madre fue a Málaga con uno de sus hijos para ese trámite tan desagradable de los papeles. Hasta entonces no teníamos relación con ellos, Gorka y Aitor. El contacto vino después de la muerte de Félix. Incluso Carolina, la mujer de Gorka, a veces me manda mensajes si ve que lo estoy pasando mal en el programa.

«Tranquilízate. Estás muy guapa.»

Hoy en día, me cuesta mucho ver imágenes de Félix en la tele. Cada vez que en *¡Qué tiempo tan feliz!* cantaban *Maitetxu mía*, me entraba una llorera que *pa qué*. Era una de sus canciones favoritas.

Otro de los hombres más importantes en la vida de mi madre fue Paco Valladares. Sin haber tenido una relación sentimental, ha sido alguien decisivo para ella. Y para mí. Una relación de mucho afecto, de familia. Fue siempre maravilloso. Mucha gente pensaba que él y mi madre eran pareja en la vida real. Y yo, cuando me lo encontraba, siempre le decía lo mismo:

—¡Papá!

—¡Hija!

Recuerdo que cuando estábamos los dos enfermos, una vez me mandó un mensaje: «Cuánto admiro tu valentía, tu lucha.» Y me lo decía él, que nunca arrojó la toalla. Y cuando creíamos que había superado la enfermedad, de pronto fue que no. ¡Ay!, lo que aprendí de él; lo que me quería, lo que me valoraba. Si algún día tengo la valentía o la osadía de hacer teatro, será por él. Siempre apostó por mí como actriz. A veces, de repente, me llega, no sé de dónde, una voz maravillosa: es la voz de Paco.

Yo creo que, en general, mi madre ha sido afortunada en el amor. Tuvo con mi padre dieciocho años de matrimonio real; con Félix estuvo catorce años. Y luego ha tenido otras relaciones de dos o tres años. Creo que el balance no está mal. Lo que nunca la he escuchado es decir que quiere volver a casarse. ¡Jamás! Por eso me hace mucha gracia cuando comentan, mejor dicho, cuando aseguran que se va a casar. Ni de coña.

Entre sus parejas había un motero, con lo cual mi madre allá que se iba en la moto con su novio. Yo decía: «Hay que ver a esta mujer a estas alturas en una moto...» Con él compartí un viaje. Yo llevaba toda la vida esperando que un hombre me llevara a París. El tiempo pasaba y veía que ese hombre con el que iba a hacer el viaje más romántico de mi vida, pues no llegaba. Peor: ni se le esperaba. Menudo plan, pensaba, todo el mundo conoce esa ciudad menos yo. Entonces mi madre me dice que se va a París con el motero.

—Qué suerte. Yo no conozco París.

—¡¿Te quieres venir?!

—Es que va a parecer que voy de carabina.

—¡Qué tonterías dices, hija!

Y yo hice un análisis así como muy pragmático: «Mira, guapa, si no vas a conocer París como tú soñabas, como lo tienes idealizado desde hace años por las películas y la música y la tabarra que te dan tus amigos que se van allí de luna de miel, ¿cuál es la otra mejor opción de conocer esa ciudad? Pues hacerlo con tu madre. Sé lista: ella te va a llevar a unos sitios estupendos y por el morro.»

Así que allí nos fuimos mi madre, su novio motero y una servidora. Qué mala pata la verdad: desde que llegamos estuvo cayendo el diluvio universal. Un viento, un frío... Hasta la típica foto delante de la Torre Eiffel, la tuvimos que hacer corriendo y con el paraguas dándose la vuelta. En mi fantasía el viaje iba a ser de otra manera. Pero menos da una piedra. Ojo, aviso para navegantes: no descarto que la vida me dé la oportunidad de conocer París como en mis sueños. Aunque, para qué engañarnos: cada vez lo tengo más crudo. Si antes estaba complicado, ahora ya roza lo imposible. Por eso me digo a mí misma: «Terelu, no hay que perder nunca la esperanza.»

Por cierto, al poco de llegar a Madrid me eché un novio, mayor que yo como casi siempre, que a su vez tenía un hermano mayor que él, o sea, ya bastante mayor, con el que me parece que mi madre salió durante una temporada. Mi novio en cuestión tenía un bar cerca de la calle de San Bernardo, Blondie. Aquello se acabó y a mí me da por encerrarme en mi casa. ¡Qué pánfila, por Dios! Con aquel panorama, mi madre me echó un capote.

—Vente conmigo —me decía. Y nos íbamos a Bocaccio que era el gran sitio de moda. Allí estaban los intelectuales y los artistas del momento. Después nos acercábamos al Oliver. Y es la primera vez que a mi madre la llamo en público por su nombre: Teresa. Me daba vergüenza llamarla mamá delante de toda aquella gente. El rollo era así como de amigas. Bueno, la amiga que me había echado, es decir, mi madre, no bebía casi nada. Podía estar ciento cincuenta horas mareando la misma copa. Lo que sí hacía era fumar. Años después se volvió talibana con el tabaco. ¡Las vueltas que da la vida!

Por aquella época en la que salía por el Madrid nocturno junto a mi amiga María Teresa Campos, me voy a Málaga a pasar unos días. Yo era, entonces, una perfecta desconocida. En el bar del tren una persona me pide mi número de teléfono. Los móviles eran todavía una tecnología impensable. De él solo sabía que vivía en el barrio de Salamanca y que trabajaba en la oficina del Defensor del Pueblo. Nos fuimos con unos amigos suyos a las fiestas de San Antonio de la Florida. Lo pasamos genial. Me deja en casa, y al día siguiente me vuelve a llamar.

—Oye, que estoy con un grupo de amigos que te quieren conocer y que yo quiero que conozcas.

—Lo siento, no puedo.

—¡Por favor!

—De verdad, me viene mal.

—¡Te lo ruego!

—Bueno, vale, como quieras. Me ducho, me arreglo y me vienes a buscar.

—Perfecto en una hora estoy ahí

—Vale.

Todavía le estoy esperando... No es que fuera guapo,

pero el chico tenía algo. Sinceramente, no me desagrada el muchacho. Pero me quedé como la Penélope de Serrat; solo que en lugar de la estación, en mi casa. Ni rastro.

¡Qué alguien me explique por qué ese hombre me hace arreglarme, ponerme de punta en blanco, para después no presentarse! ¡Ni siquiera una triste llamada! Al cabo de muchos años mi madre tenía una amiga que trabajaba en el Defensor del Pueblo.

—Oye, ¿tú conoces a un tal Joaquín?

—Sí, sí, claro...

—Ah, pues mira, se lo voy a decir a mi hija para que se quede tranquila de que no se ha muerto.

¡A ver, Joaquín...! ¿Para qué insistes? ¿Por qué me levantas del sofá con lo a gustísimo que yo estaba enroscada en aquella manta de cuadros irlandeses, viendo la tele, para después darme ese pedazo de plantón? ¡Muy feo, Joaquín, muy feo! Y qué ironía, hijo, que tú trabajes en el Defensor del Pueblo...

Volviendo a asuntos más serios, la otra pregunta en el *ranking* es si ser hija de María Teresa Campos me ha beneficiado o me ha perjudicado. Pues mira, me ha beneficiado fundamentalmente porque he tenido la oportunidad de estar al lado de alguien que, para mí, es una de las grandes de la comunicación de este país. Vivir al lado de alguien así, de una mujer tan comprometida, es un lujo. Y si además es tu madre, eso que llevas ganado. ¿Me ha perjudicado? Probablemente. Cuando tu madre es una persona tan valorada profesionalmente, si te dedicas a lo mismo eso implica comparaciones y que tendrás que escuchar miles de veces que tú no te has ganado ese sitio que ocupas. Ya se sabe: que si estás ahí por ser la hija de... ¿No lo estaría si no fuera ella mi madre? Eso ya nunca lo sabremos. A lo mejor no hubiera llegado tan lejos. O a lo mejor hubiera llegado más allá. Siempre quedará esa duda.

Siempre he tenido la conciencia muy tranquila. He empezado mis trabajos desde abajo. Es cierto que se me pudo abrir alguna puerta, pero escribiendo mi futuro desde los trabajos menos importantes y peor remunerados. He visto a chicas modelos presentando programas con poco más de veinte años. La primera vez que yo presenté en solitario tenía 31 años y ya llevaba diez trabajando en la tele. Pero lo tengo muy asumido: no puedo evitar, seguramente por ignorancia o por atrevimiento, que piensen que tú, es decir, esta que está aquí, es una enchufada.

Sí, se me han abierto muchas puertas, pero también se me han cerrado muchas. Sus enemigos son los míos. Si mi madre dejaba un trabajo, yo ya sabía que lo iban a pagar conmigo, que nunca me iban a contratar. Demostrado. Quiero dejar claro que no me quejo. Solamente intento dejar clara la realidad. Guste o no guste. Mi madre lleva fatal las críticas contra mí. Lo entiendo. Yo no puedo soportar tampoco las que le hacen a ella. O a mi hermana. A mí lo que quieran; a ellas, ni tocarlas.

Una de las cosas que más ha dañado anímicamente a mi madre es la muerte de su hermana Leli. Mi tía tenía un cáncer, pero nunca se nos dijo que iba a ser tan rápido. Ingresa un día en el hospital, y a los dos días muere. Demencial. Hacía unas horas había hablado con ella y me había dicho que se encontraba mejor. Incluso me mandó una foto. Mi madre tenía previsto ir a verla en el fin de semana. Hablamos con mi tía Concha y nos dice que, efectivamente, no hay motivos para no estar tranquilos. Todo parecía que estaba, en fin, controlado.

Pero de pronto me llaman a las diez de la noche: está en coma. Nos vamos mi hermana, mi cuñado y yo a casa de mi madre, con la excusa de que yo había olvidado el cargador del móvil. Pero ella no es tonta y cuando nos vio hizo la pregunta:

—¡¿Qué pasa?!

—Nada, el cargador...

—¡No! ¡Está pasando algo!

—Bueno, mamá, que Leli...

—¿¡Se ha muerto?! ¿¡Se ha muerto!?

—Está en coma.

Y a las doce de la noche salimos en el coche en dirección a Málaga. Yo le había dicho a mi prima, África, que si pasaba algo más grave no me llamara porque viajaba con mi madre. No llevábamos ni una hora en carretera, cuando recibo el mensaje: «Ha muerto.»

Todavía quedaban cuatro horas de viaje. Y yo ya sé que mi madre no va a llegar para ver a su hermana viva y me pregunto cómo le voy a decir que se ha muerto. Así que fui todo el tiempo comiéndome en silencio ese terrible secreto. Paramos en una gasolinera y me desahogué con Gustavo, el conductor. El pobre se quedó descompuesto. Yo compré una bolsa de hielo, una lata de Coca-Cola light y una botella de ron. No podía soportar aquel dolor. Y además la angustia de que mi madre, sentada a mi lado, no sabía nada. Y yo me preguntaba cómo decírselo. Llegando a Málaga le mando un mensaje a mi prima y le pido que me llame. Al sonar el teléfono, mi madre que iba adormilada se incorpora.

—¿Qué pasa...?

—Que se ha muerto, mamá...

Tuvimos que parar en la cuneta. Era una persona sumamente dolida, desesperada por la muerte de su hermana pequeña, de alguien que había sido como una hija más para ella. Luego, al darse cuenta de que enfilábamos la desviación para el tanatorio, mi madre se convirtió de pronto en alguien fuera de sí:

—¡¿Por qué me traes aquí?! ¡¿Por qué eres tan mala?!

Y yo llorando, impotente, rota por la muerte de mi tía y por ver a mi madre destrozada, solo le intentaba explicar la situación.

—Perdóname, mamá, perdóname, pero es que está aquí.

El año que murió mi tía, fue el primero que mi madre no estuvo en Málaga en Semana Santa.

Todavía hoy no lo tiene asumido. No hace mucho tiempo me lo dejó claro:

—No voy a admitir que mi hermana está muerta. Que lo sepas.

A punto de entregar las páginas que han dado luz a este libro, la vida vuelve a ponerme a prueba y lo hace para mí de la peor forma posible. El domingo 14 de mayo todo estaba bien. Voy a una velada de boxeo al Palacio Vistalegre de Madrid donde Pablo Navascues se despide de los ring a los 41 años. Allí me reencuentro con mi última pareja, José Valenciano. Era una noche agradable con mi hija y rodeada de amigos. Salí contenta de allí porque mi hija se vio con José y pudimos saludarnos cariñosamente. Cuando llego a casa le pongo un mensaje a mi madre para organizar la comida que íbamos a tener al día siguiente, San Isidro, con la doctora Ruíz Jiménez y su marido, Emilio. Al día siguiente nos juntamos en casa de mi madre con mi hermana y mi cuñado. A media tarde me vine a casa para retocar las últimas páginas de este libro. Mi madre se fue a Madrid a jugar una partida de cartas con sus amigas y me acuesto tranquila porque todo estaba bien. Nada hacía presagiar lo que pasaría el martes. Me levanté tranquilamente. Me fui al gimnasio Emporio de mi amigo Fernando Sánchez, al que estoy muy agradecida. Me acompañaba mi amiga Olivia como cada día. Después de pegarnos una paliza de elíptica, me vengo a casa para prepararme la ropa para ir al programa. Momentos antes de que el coche de producción viniera a recogerme recibo la llamada de Gustavo, la persona de confianza que lleva a mi madre en coche y que para nosotros es como un hermano.

—Pibita, me voy a llevar a mamá a la Clínica La Luz porque no ve bien.

—Gustavo, voy camino de la tele. Voy a localizar a mi hermana.

Carmen había pasado una noche fatal y tenía el móvil en silencio. No hay manera de localizarla. Empiezo a ponerme nerviosa y llamo a mi cuñado para decirle lo que pasa. Mi sobrina Carmen que era la que más cerca estaba se desplaza hasta la clínica. A los pocos minutos recibo la llamada de Carmen, mi sobrina.

—Carmen, ¿cómo está mamá?

—Está con el neurólogo en la consulta.

—Mantenme informada, por favor te lo pido.

Me empiezo a poner nerviosa. Llamo a mi director Raúl Prieto para contarle lo que está pasando y decirle que a lo mejor me tengo que ir del programa. Entro en maquillaje y Miguel, el peluquero de mi madre, me peina. Cuando me va a empezar a maquillar Josefina recibo una llamada que me hace temblar:

—Mamá tiene un problema de riego.

Minutos después mi hermana me manda el siguiente mensaje que me dejaría muerta de miedo:

—Ha sido un ictus.

En ese momento, Josefina, la maquilladora, ve que pasa algo y me mete en una sala aparte para que pueda hablar por teléfono. Le pido que no diga nada. Decido no hacer el programa y me marcho corriendo a la Clínica La Luz. Llego desesperada de pensar lo que le podía pasar a mi madre. Me dicen que está en la UVI. Paso dentro muy alterada.

—No puede pasar aquí.

—Me da lo mismo, quiero ver a mi madre. Lo necesito.

Cuando la veo me tranquilizo un poco. Ella siempre preocupada por sus hijas y su familia me dice:

—Estoy bien, estoy bien. Tranquilízate por favor. A mí solo me preocupa que tú estés bien no vaya ser que te vayas a poner tú mala.

—Mamá, lo único que quiero es que tú estés bien para yo estar bien.

A partir de ahí empieza un calvario sin saber lo que va a pasar. No sabíamos el alcance de la lesión. Quiero agradecer a las personas que trabajan en casa de mi madre, María, Leo y Gustavo, que gracias a su rápida intervención el alcance de la lesión de mi madre es bastante menor. A mi madre se le pudo aplicar en la Clínica La Luz el tratamiento que marca el protocolo que solo se puede aplicar antes de que pasen las cuatro primeras horas. Nos dicen que por circunstancias en ese lugar no hay Unidad de Ictus y decidimos llevarla a la Fundación Jiménez Díaz a cuyos facultativos quiero darles las gracias.

En estos momentos mi madre ha mejorado un poquito, pero eso es una buena señal. Ojalá pudiera predecir lo que va a pasar. Mi esperanza es que se recupere totalmente. Rezo y confío en ello. No puedo tener la certeza en estos momentos. Así que espero que cuando estéis leyendo esto mi madre esté recuperada del todo. Ojalá sea así. Es mi único objetivo en estos momentos de mi vida: no me importa nada. No me importan los problemas, ni las preocupaciones. Me importa mi hija y que mi madre esté bien. Ahora más que nunca necesito a mi madre. Aún le queda un largo y hermoso camino y así espero que sea.

MI HERMANA, MI GRAN CONFIDENTE

¡Qué tarde es, Dios mío! Las tres de la mañana y todavía rodando por la casa. ¡Esto no son horas! Y luego, por si fuera poco, al acabar el programa, me pongo a hablar con ella mientras salía del plató. Le he dicho que ha estado estupenda. Sí, me han gustado mucho sus argumentos. Sé que a algunos les ha sorprendido la, digamos, más que notable irrupción de mi hermana en los platós. A mí no. Yo sabía que ella, con tantas horas de vuelo detrás de las cámaras, si se decidía a salir no iba a defraudar.

Carmen está muy acostumbrada a dirigir a los demás en televisión. Tiene, entonces, una percepción muy nítida de lo que falta o sobra en un programa. Un conocimiento absoluto de algo tan importante, sobre todo en un debate, como es el ritmo. Yo sabía que iba a cautivar. De hecho, mis compañeros, que ya la conocían, siempre me estaban dando caña, diciéndome que era un diamante en bruto y cosas así; en plan de broma, como para picarme. Pero no; imposible intentar sacarme punta por ese ángulo. Estoy orgullosísima de ella, de cómo lo hace, de cómo se desenvuelve en un plató. Mi único recelo viene del lado de los temores; de ese miedo comprensible a que le hagan daño. Cuando, como es mi caso, llevas muchos años de exposición mediática, sabes cómo son estas cosas. Conoces perfectamente el lenguaje, los códigos; ves de lejos por dónde pueden venir los tiros. Y, sinceramente, no me gustaría que nada pudiera herirla.

Para mi hermana ha sido fácil grabar *Las Campos*, porque lo que allí se estaba contando era nuestra vida; situaciones que forman parte de nuestra pequeña historia. Cuando nos cabreamos, cuando estamos felices, es completamente real. No es nada impostado. No es un papel que tengas que sacar adelante con mayor o menor acierto. No. Lo que allí pasaba estaba pasando de verdad.

De los primeros recuerdos que tengo con mi hermana está el día de Reyes. Especialmente uno. Aquel en el yo había pedido una bicicleta. O mejor: una moto. Llega la hora y mi padre nos dice que tenemos que bajar al trastero. Mi hermana y yo temblando de nervios de lo que nos podíamos encontrar. Se abre la puerta y... ¡Una bicicleta, una bicicleta! Pues no: una moto. Estaba tan azorada que no la había visto. Y era una moto, una Puch X20 de color verde. Mi padre solo nos la dejaba sacar por la acera del paseo marítimo, a la velocidad de una tortuga, y con él al lado, no fuera que derrapáramos con tanta velocidad... Era lo más parecido a una bicicleta con ruedines. Pero no, era una moto que se desplazaba más despacio que un caracol. La que más la usaba era Carmen, que entonces tenía el colegio en el monte y había que subir una cuesta enorme. Por eso ella se quedó con aquel regalo de un seis de enero de hace ya muchos años. O siglos.

Nuestra habitación tenía dos camitas y una mesita de noche. Pues nosotras, a la hora de acostarnos, hacíamos lo mismo todos los días: quitar el mueble que nos separaba y juntar las dos camas para, al final, terminar las dos durmiendo juntas en la misma. Aunque yo, de muy chica, me presentaba de madrugada en el dormitorio de mis padres. Ellos me colocaban en el medio, cosa que me agobiaba mucho. Tanto que, llegado el momento, yo soltaba el consabido grito de guerra: «¡Me voy de aquí!»

Pero nosotras dormíamos juntas porque éramos unas niñas muy miedosas. Cuando nos cambiamos de casa, en la nueva teníamos una cama nido que se abría a la hora de acostarnos. Pasábamos la noche la una pegada al lado de la otra, como protegiéndonos. Yo pegada a la pared y mi hermana junto a la puerta. Y así hasta más allá de los veinte años. Nunca se plantearon mis padres que tuviéramos una habitación cada una. Y nosotras menos.

Lo que sí había, ya de adolescentes, algún susto en mitad de la madrugada. Yo estaba frita completamente y, de pronto, mi madre entraba en la habitación muy flamenca, muy lanzada ella, muy decidida a montar un dos de mayo. Y lo montaba.

—¡Dónde está tu hermana!

—¡Y yo qué sé! ¡A mí que me cuentas!

—¡Abre la boca y canta!

Pero yo seguía callada, imaginando, pero sin delatarla, que Carmen estaba en la discoteca que había enfrente de casa, El perro andaluz, o en el bar de moda: Lemon. La verdad es que yo estaba harta de comerme sus marrones, de recibir las broncas porque mi hermana llegaba tarde a casa. Hasta que un día mi madre la esperó detrás de la puerta. Y cuando llegó la puso de vuelta y media. Esa noche no se puso flamenca. Esa noche mi madre fue un tigre de Bengala.

Estábamos en plena edad del pavo. Y, para qué nos vamos a engañar, a mí no me apetecía que mi hermana, menor que yo, se me pegara y viniera conmigo a todos los sitios. No. Demasiado pequeña, creía yo muy chulita, para que viniera a los lugares que iba yo con mis amigas. ¡Ay!..., luego, pasados los años, y sobre todo estos últimos años, salimos muchísimas veces juntas. Digamos, en plan quinceañera tonta, cursi, que somos de la misma pandi. Y ya para rematarlo: ¡Y lo pasamos guay!

En Madrid hacemos mucha vida en común, hasta que ella un día me lo anuncia:

—Me caso en diciembre.

Y se casa en 1989, pero de milagro, en Málaga, porque días antes hubo unas inundaciones tremendas que casi obligan a suspender la boda. Pero hubo boda. Y, tiempo después, divorcio.

Durante su matrimonio se queda embarazada, la primera vez, cuando vivía, al lado de mi madre, en Las Rozas. Yo me quedé entonces con la casa en la que vivíamos del Paseo de las Delicias. Y allí se viene conmigo cuando se va a poner ya de parto. Al día siguiente la ginecóloga le dice que se vaya a por las cosas, que coma y que vuelva después para inducir el nacimiento del que iba a ser su primer hijo. ¡Gran metedura de pata de la doctora! Hablo de una época en la que todavía no existía la epidural. La bajan al quirófano de la clínica del Rosario acompañada por su marido y mi madre y, de pronto, el gran susto: como había ingerido alimentos, le da un gran vómito con la anestesia. Yo, que estaba afuera, veo a las enfermeras salir corriendo para buscar una máquina que se necesitaba para reanimarla. Casi la palma.

Con todo aquel lío, esta era la situación en la habitación del hospital: mi hermana, casi inconsciente, en la cama. Yo al lado. Las dos solas. Corrijo: los tres. Allí estaba mi primer sobrino pidiendo guerra: tenía hambre. Sin darme tiempo a reaccionar, me plantan el biberón de suero del niño:

—Dáselo.

Y yo estaba aterrada. Mi gran miedo era que se me ahogara el niño. Así que yo, como siguiendo al pie de la letra un supuesto manual para inexpertas en la materia, le daba tres chupaditas y se lo quitaba. Yo iba poquito a poco. Pero el niño protestaba. Quería más. ¡No veas la perra que se cogía el —perdón, mi adorado José María, mi sobrino del alma—, jodío niño! Cuando nació su segunda hija, Carmen, yo ya tenía un máster en posparto. Me sentía como pez en el agua. Aquello iba como la seda. Y estaba deseando salir de trabajar para ir a casa de Carmen a echarle una mano con el baño y la cena de las criaturas; de aquellos príncipes que son, siempre lo han sido, mis niños.

Al separarse en 1996 y, tiempo después, iniciar una relación con otra persona, Carmen y yo nos distanciamos físicamente un poco. Nos vemos menos. Mi vida también ha cambiado. Entonces soy yo la que es madre. Y ya soy una persona conocida de la tele. Y la sensación que yo tengo es que, durante los diez años que duró aquella historia, como si mi hermana huyera un poco de mi madre y de mí. Por ejemplo: ella y su pareja veraneaban en Marbella; nosotras también, pero en hoteles diferentes. Alguna vez iba a comer al nuestro, pero en muy contadas ocasiones. Ese era el panorama, hasta que las cosas no le empiezan a ir bien con su pareja. Y rompen. Y volvemos a vernos un poco más.

Estando embarazada, empiezo a perder la visión de un ojo; a verlo todo borroso. Me hacen las pruebas necesarias y tengo migrañas oculares. Nada alarmante. Tiempo después, un día me llama mi hermana y dice que le pasa algo parecido.

—Tómate agua con azúcar.

Pero no acababa de estar bien. No obstante, ella no deja de trabajar. Llega un día a la tele y Belén Rodríguez la pone en alerta:

—Mari, ¿qué te pasa en la cara?

—Nada, ¿por qué?

—Porque la tienes torcida.

Va corriendo al hospital. Allí le dan el diagnóstico: isquemia en la carótida. O sea, un ictus.

Los diez días que estuvo ingresada yo iba por las mañanas para ayudarla en los ejercicios que tenía que hacer para recuperar la normalidad.

—Venga, Carmen, cariño, hay que inflar mucho la boca.

Y la pobre lo hacía sin rechistar.

Se recupera de ese susto, pero ahí no iba a acabar la cosa. Detecta una serie de problemas, ante los cuales su médica le dice que es consecuencia de un tratamiento con heparina. Imposible: había acabado esas inyecciones hacía tres meses. Y me llama:

—Quiero ir a tu ginecóloga.

¡Bendita hora! Eso le salvó la vida. Al cabo de casi tres años le detectan un cáncer de útero.

En poco tiempo, dos situaciones límites; dos cornadas de las que ella salió airosa, triunfadora. Y la vida continuó.

Pasan los años y aparece en el horizonte de mi hermana alguien excepcional: José Carlos. Junto a él su vida da un cambio total. Llega su mejor momento, la época de mayor felicidad. Lo merecía. Había pasado mucho tiempo de apatía junto a la anterior pareja. Era una relación monótona y cómoda. José Carlos le devuelve la ilusión. Desde que él entró en nuestra familia, es uno más. Y nos vemos todos los fines de semana. O casi todos.

—Carmen, ¿quedamos este sábado para cenar?

—Imposible. Tenemos una boda en Alicante.

—¡Qué putada! ¡Me dejáis sola!

Tenemos una relación de amigas. En los últimos cuatro años, desde que se casó, nos vemos más que nunca. Incluso, como yo no tengo representante, es ella la que me echa una mano en todos esos asuntos de trabajo. Ha sufrido mucho con mi enfermedad. Ha sido mi compañía, mi todo. Y ahora ese lazo se hace más sólido con la entrada en nuestras vidas de su marido. José Carlos es una grandísima persona y el hombre que, en estos momentos, guía un poco mi vida.

Aunque para el público es la gran desconocida de la familia, Carmen tiene una gran valía profesional. Ha luchado y se lo ha ganado a pulso. Ha puesto en marcha programas e informativos en varias cadenas. Ha trabajado con nombres de la talla de Iñaki Gabilondo, Carlos Herrera o Andrés Caparrós. Tiene un gran sentido del humor. Es muy irónica. Incluso, a veces, cáustica. Cuenta los chistes como nadie. Y tiene un gran repertorio en ese sentido. La gente se divierte mucho al lado de mi hermana. Y tiene, ojo, bastante mala leche. Tiene un pronto importante. Eso es innegable. Y lo que quiere, lo quiere ya. No sabe esperar. Pero es maravillosa. Nunca olvidaré su comportamiento cuando estuve enferma; cuando se pasaba a mi lado aquellas interminable horas de quimioterapia en la Fundación Jiménez Díaz. Y, al recordarlo, vuelvo a sentir su mano sobre la mía.

Las dos pasamos juntas el dramático episodio de la muerte de mi padre. Creo que nos ayudó el hecho de vivir en Madrid. La distancia es como si, de alguna forma, paliara tanta tristeza. Y tantas preguntas. Durante años, íbamos al cementerio por separado. Cada una por su lado. Cada una con su dolor. Tengo la impresión de que mi hermana optó más que yo por el silencio. Aunque nunca fue un tema tabú en casa. Lo que ocurre es que todas hemos tenido la prudencia de no hablar de ello constantemente. Había que avanzar. Lo hemos logrado.

Mi hermana es la más Borrego. Se parece a mi padre en el físico y en el carácter. Aunque ahora menos, Carmen ha sido bastante susceptible. Las dos tenemos una relación magnífica con mi tío Manolo, hermano de mi padre. Pero ella más que yo. Entre los dos hay una complicidad, una intensidad, que yo no logro alcanzar. Se entienden a la perfección.

Ni Carmen ni yo tenemos ninguna duda de que mi padre nos quería mucho. Sí, nos adoraba. Lo que pasa es que jamás nos lo dijo. Y esa es la pena que nos dejó.

Nosotras siempre hemos sido una familia unida, pero la unión que tenemos ahora es tan consistente, tan fortalecedora, tan indestructible que Carmen y yo podemos tener diferencias en idioteces y cosas simples, pero por encima de todo tenemos algo que nadie podrá romper: el amor que tenemos y el proyecto común de vida de familia. Eso es un tesoro.

Mi hermana Carmen siempre ha estado en los momentos más difíciles de mi vida. Hace unos meses recibo un revés en mi vida profesional, por las circunstancias de esta profesión. Tengo un representante al que dejo por razones que no vienen ahora mismo al caso, pero que todo el mundo conoce. Reconozco que esta persona durante el tiempo que se encargó de mis cosas conmigo fue una persona atenta y un profesional que intentó hacer lo mejor para mí. Eso no significa que lo haya hecho bien para todo el mundo o para una persona en concreto como es el caso de Belén Esteban. En ese momento, mi hermana me ayuda a emprender un camino en solitario. Tengo que agradecer a Carmen el esfuerzo que emplea para abrirme caminos diferentes dentro y fuera de la televisión.

Ahora mismo mi hermana es para mí el bastón de mi vida junto con su marido. Carmen y mi cuñado, José Carlos, son una única persona que están cuando les necesito y cuando creo que no los necesito siguen estando ahí. Me siento tan feliz, tan protegida y tan arropada por la relación que tengo con ellos que eso me hace vivir con menos miedo e incertidumbre. Siento que son los protectores de mi vida en estos momentos. Mi hermana trabaja incansablemente para que mi vida sea mejor. Eso es una fortuna en la vida.

Gracias, Carmen, por tu esfuerzo, por tu amor, por tu confianza y por lo que me valoras. Entre lágrimas te agradezco que estés siempre ahí a mi lado, apoyándome en todo.

LA FAMA NO SIRVE DE NADA

Ahí estoy, en el escaparate de un quiosco, con una foto y un titular, como con mi vida recién sacada del horno, como si saliera de recoger el resultado de los últimos análisis, las últimas radiografías, de mi estado público o, al menos, de lo que se supone que es la temperatura y el diagnóstico de mi fama. Hay semanas en que te pillan atiborrándote de hamburguesas o de besos, y entonces los triglicéridos se disparan y la grasa se te va acumulando en la cadera y los abdominales de la portada. Otras, son tus palabras, tus propias palabras, las que te obligan a darte un chute de insulina por exceso de azúcar corriendo por el papel (cuché) y los ríos de tinta contaminados por la hiperglucemia de tu romance de turno. Hay días en que te llevan a la UVI o a un posado en una playa; días en que te dan de alta y otros en que te dan la lata. Es, en fin, como un BOE de los sentimientos, como un miércoles de ceniza, con mucho colorín y alguna lágrima.

Todo esto, al menos a mí, no me llegó de golpe. No

fue ningún pelotazo de fama. Ha sido progresivo, ocurriendo poco a poco, hasta que un día te despiertas y tienes un paparazzi debajo de la alfombra. Al principio, lo más parecido a esta cuestión fue cuando aquello de Málaga, de que alguien reconoció mi voz de la radio, y alguna aparición, con mi hermana, junto a mi madre en algún reportaje en sus inicios televisivos. Pero yo creo que nunca hemos tenido una vida tan mediática como ahora. Y supongo que en eso tiene mucho que ver la tecnología; el auge de Internet y las redes sociales. Cuando yo empecé no existía nada de esto. Ni de otras cosas.

Yo no me planteo si me gusta o no la fama. Simplemente, he decidido hacer un trabajo de cara al público que tiene sus consecuencias: buenas, buenísimas, no tan buenas y fatales. Yo no me despierto un día y digo: quiero ser famosa. No. Jamás se me ocurriría semejante cosa. Lo que yo quiero es trabajar. Y lo quiero con todas sus consecuencias; o mejor dicho, lo asumo con cada una de sus consecuencias. Pero nunca con premeditación.

Cuando era una niña, yo era hija de una famosa locutora de radio de Málaga; lo cual, como ya he dicho, me altera hasta el punto de llegar a negar a mi propia madre. Luego, ella empieza a ser conocida a nivel nacional; luego muy conocida y poco más tarde era conocidísima. Y luego estoy yo. Al principio —y para algunos todavía hoy— era la hija de la Campos; así, sin nombre. Más tarde, cuando entro en Telemadrid, y luego me caso, ya soy Terelu... la hija de la Campos. Ese es un hecho incuestionable: mi madre siempre será María Teresa Campos. Afortunadamente.

Hay quien ha querido ofenderme con eso. Se equivocan: estoy muy orgullosa de ser su hija. También están los que han tratado de compararme con ella para despreciarme. Y ahí se equivocan más todavía: ¡es lo mejor que me puede pasar! Sí, que me comparen con una profesional de la talla de mi madre. Con una mujer tan excepcional como María Teresa Campos.

Cuando empiezo a ser conocida por mi trabajo en la tele, me tomo con bastante normalidad el tema. Pero me separo de Alejandro y, en ese momento, que además coincide con la etapa más álgida de los programas del corazón, sube la intensidad y comienzo a estar de boca en boca de la gente. Hasta ahí, no obstante, es una popularidad controlada. No llega la sangre al río.

Cuando tengo una relación con una persona es la primera vez que me siento en el punto de mira y totalmente controlada por la prensa. Aquello supuso un cambio radical en mi vida. Un cambio que, lo confieso, me costó muchísimo admitir e intentar darle una cierta normalidad. Ahí tengo algún encontronazo con mis compañeros. No estaba acostumbrada a manejarme en la persecución o, al menos, en el seguimiento con cámaras y micrófonos. Sinceramente, creo que aquello me vino grande. Muy grande. No me lo esperaba. Hasta entonces los medios me habían respetado. De pronto sucede todo aquello y no entiendo nada. Y me pierdo.

Lo vas asumiendo poco a poco, pero vas viendo que al mismo tiempo la cosa va *in crescendo*. Cada vez era más complicado. Cada vez se te escapa más de las manos. Ha habido momentos puntuales en mi vida —subrayo lo de puntuales— en los que he tenido guardias de prensa en mi casa en sesión continua de mañana, tarde y noche. Eso me horrorizaba. Era algo nuevo para mí.

Luego he tenido momentos de calma. Incluso, entre una relación conocida y otra, he estado durante un año y pico sin pareja y haciendo mi santa voluntad. ¡Y no me pilló ni dios! Tuve suerte. O que apareció otro objetivo que les interesaba más que yo.

Quizás el momento de máxima explosión de cara a la prensa llega con mi incorporación a *Sálvame*. Al poco tiempo, además, ocurre lo de mi enfermedad. Y a eso hay que añadir que la revista *¡Hola!* considera que mis portadas son rentables. Eso me revoluciona: es un arma de doble filo. Es muy halagador. Mucho. Pero nada es gratuito. Y las consecuencias no son fáciles.

Mi relación con la prensa cada vez va siendo mejor. Es una cuestión de aprendizaje. Sí, he tenido que aprender. O intentarlo. Desconocía un estado de semejante presión. Al principio yo era, para qué vamos a negarlo, muy borde. Me metían un micro y no abría la boca. O, alguna vez, si la abría, era para soltar un gruñido. No estuve bien. Lo reconozco. Con el tiempo he entendido que no pasa nada por saludar a esos compañeros y ser amable con ellos. Aunque no vayas a contar ninguna cosa de las que ellos quieran saber, he comprendido que es más correcto un «buenas tardes», un «gracias», a un silencio o una mala mirada.

En general, la prensa me ha tratado bien. Ojo, como en todas las profesiones, nada es idílico y tropiezas con gente que ni te quiere ni te respeta. Pero, a medida que pasa el tiempo, voy teniendo más relación con esos compañeros que, a lo mejor, están esperando a la puerta de un restaurante. Entonces tú sales, te haces la foto y les pides que, por favor, te dejen ya disfrutando de un momento de intimidad. He aprendido a pactar. Eso no quita que todavía haya alguno que no lo entienda e, incluso, llegue a insultarte. Son minoría. En general, son periodistas educados y que están allí cumpliendo su trabajo. Que están, como estamos todos, buscándose la vida. Y merecen mi absoluto y sincero respeto.

El buen paparazzi es el que no ves; es ese hombre invisible que, días después, cuando abres una revista ha hecho posible el milagro: tú en una playa, tú saliendo de casa, de compras, abrazada, en chándal, seria, besando, feliz, acompañada, con barriga, con alguien, con nadie. Y te sorprenden: ¡¿Dónde estaba escondido el tío para sacarme esas fotos?! El primer año que fui a Campoamor me sacaron. ¿¡Cómo era posible aquello?! Nunca había estado en ese sitio. Y hasta allí habían llegado ellos. Ahora, aunque no les veo, sé que están y, entonces, frente al mar, lanzo un saludo al aire: «¡Hola, que estoy aquí, que he venido!»

El verano pasado, en la playa, me puse un delantal con la imagen por delante de una tía con un cuerpazo por delante y otra como masoquista por detrás. He llegado a la conclusión que hay que tomarlo con sentido del humor. Un día me dije: «es mejor reírme de mí misma». Y dicho y hecho. No obstante, lo confieso: me espanta que me saquen en bañador. Pero no ahora, que tengo unos kilos de más; cuando estaba delgada también, porque pensaba que no lo estaba lo suficiente. No cuesta mucho trabajo hacerse una idea de lo que pienso ahora.

De mí se han dicho cosas alucinantes, como asegurar que estaba en tal parte con tal persona haciendo tal cosa. Y en realidad estaba sola en mi casa, tirada en el sofá, envuelta en una manta y viendo la tele. Pero esas cosas no me ofenden. Me hacen gracia. En una ocasión, una compañera de otro programa distinto al mío aseguró que yo estaba en Vivero, Galicia, intentando coger un barco con mi pareja de entonces, Carlos Agrelo, pero que el capitán se había negado a que yo embarcara. Me llama Carlos, que no salía de su asombro.

—¡¿Cuándo hemos ido tú y yo a coger un barco?!

—En la vida.

Me han adjudicado relaciones con hombres que ni siquiera he conocido. Es el caso de José María Manzanares, padre. Ninguna historia con él. Ningún encuentro. Nada. Otro caso: Jorge Juste. A ese sí que le conozco, porque de hecho hemos sido compañeros. Pero, ojo, solo compañeros.

Si soy sincera, esas cosas no me agreden: me hacen gracia. Como cuando se ha escrito que yo había formado parte del reparto de la serie *Canguros*. Sí, en cuatro capítulos. Pues no: por desgracia nunca he trabajado ni en esa ni en ninguna serie. Aunque me hubiera encantado. Lo más parecido fue una película de Joe Rígoli, de los ochenta, en la que ni yo misma recordaba haber participado. Pero ahí, al menos, es verdad que sí salí. Fugazmente.

La fama en sí, no sirve para nada. Lo que te sirve es tu trabajo. Gracias a eso he podido conocer a mucha gente que, de no ser así, no me habría cruzado con ellos ni en el ascensor. En una ocasión fui a Miami, junto a otros compañeros de radio y televisión, a entrevistar a Julio Iglesias con motivo de su nuevo disco. A Julio le conozco desde que tengo cinco años y lo llevaba mi madre a su programa de radio en Málaga. Cuando nos encontramos esta vez, me dice:

—¿Qué tal mamá? ¿Sigue con ese señor de pelo blanco y ojos azules?

—¡No me puedo creer que tú sepas que sale con Félix!

—Es que me traen el *¡Hola!* todas las semanas...

La primera vez que entrevisté a Antonio Gala me temblaba todo el cuerpo. Estaba, literalmente —y nunca mejor dicho— acojonada. Pero me mostró su lado más cálido y afectuoso. Incluso bromeamos sobre los amuletos que llevábamos los dos. Y Terenci... mi Terenci Moix... ¡Ay! Me tenía mucho cariño. Los últimos años iba a mi programa de Telemadrid a presentar sus libros. Inolvidable.

La verdad es que yo no he sido nada mitómana. No he sido de esas chicas que tienen en su habitación un póster con la imagen de su ídolo. Creo que la única vez en mi vida que me he atrevido a pedirle a un cantante que me firmara un disco, fue a Luis Eduardo Aute. Lo adoro.

Hubo una época que hubiera dado cualquier cosa por poder entrevistar a Alfonso Guerra. Hoy también.

Nunca he vivido con la cosa de que la gente se acercara a mí por mi profesión, por la proyección que pueda darme mi trabajo. No soy desconfiada. En absoluto. Y no lo quiero ser. Prefiero darme una hostia a pensar que alguien viene hacia mí por intereses absurdos. Si alguien lo hace, peor para él. O para ella.

Digan lo que digan soy una persona accesible que puede tener un mal día. Y de hecho los tengo. Si hay momentos en los que no me aguanto a mí misma, cómo voy a aguantar a nadie. Si voy a perder el AVE por parar a hacerme una foto, habrá que entender que diga que no. No soy tan antipática. Ni tan estirada. Ni tan gilipollas.

Si algún día me dedico a otra cosa, me gustaría pasar al anonimato. Pero si sigo en esto, lo último que deseo es que lo que yo haga no tenga ninguna repercusión. Lo que pasa es que no siempre es bonito ni agradable. Pero, en líneas generales, todo va bien. Todo va sin problemas. O tan solo con unos pocos... Lo reconozco: puedo ser muy cariñosa. Pero también muy estupidísima. Lo que soy es leal. No fiel: leal.

Voy a salir a la calle a comprarme las revistas. Es miércoles. Es el día sagrado para que el quiosco se llene con las aventuras y desventuras del famoseo. Forma parte de mi trabajo. Estoy en *Sálvame*, un programa en el que hablamos de la vida de los demás. Bueno, en el que hablamos de la nuestra y, si hay un hueco, de la de los demás... Cruzo los dedos y espero que hoy no me toque un miércoles complicado por los dimes y diretes.

Pero ser conocido a veces no es tan agradable como la gente se cree. Como en aquella recordada serie de televisión: la fama cuesta, y aquí vais a empezar a pagar con sudor. Y si no, con la calderilla del sudor: una hostia en el culo. Eso me pasó a mí, en una zapatería, con una mujer que reaccionó así de la, según sus palabras, inmensa alegría que le dio al verme probándome unos zuecos. A veces es preferible que la gente no se ponga tan contenta... O aquella que, en la Semana Santa de Málaga, me cogió por el brazo con mucho entusiasmo. Y mucha fuerza: acabé llena de moratones.

—¡Señora, que me está haciendo daño!

A ella le daba igual: no había manera de que me soltara. ¿Podemos interpretar estos gestos de afecto un poco desmedido como gajes del oficio? Tal vez. Pero hay otras cosas que maldita la gracia que te hacen.

Desde hacía un tiempo había una señora, en Málaga, que cuando íbamos nos seguía a todas partes. Estábamos en una tienda y, de repente, te susurraba al oído:

—Cómpralo. Ese jersey es muy bonito...

Todo así, como de película de Hitchcock. Entonces, a mi madre no se le ocurre otra cosa que despedir el programa de televisión diciendo que se iba a Málaga a la boda de mi prima Amparo.

Mi madre y yo nos sentamos en una terraza de la calle de Larios. Y de pronto aparece esa mujer quien, por cierto, conducía un Audi y llevaba un Rolex en la muñeca, y se abalanza sobre mi madre con un bote de pintura que le tira al pelo. Instintivamente me levanto para protegerla y le doy un empujón a la agresora. Ella, entonces, me rocía la cara con un espray de pintura, me da con el bote un golpe en la cara y empiezo a sangrar por la boca. Nadie hizo nada. A nosotras nos tuvieron que llevar al hospital. La denunciamos por aquello y porque de alguna manera había que cortarlo, no podíamos seguir con miedo cada vez que íbamos a Málaga. Su marido nos pidió por favor que retiráramos la denuncia: su mujer estaba enferma y se encontraba en pleno tratamiento. Estaba convencida de que mi madre le hablaba por la tele.

En Telemadrid, los compañeros de Seguridad me advierten que hay alguien esperándome todos los días a la puerta, para seguirme desde un coche. Ese alguien empieza a dejarme regalos, como por ejemplo un móvil. Todo le era devuelto a la dirección que figuraba en el envío. Aquello va a más: un día se presenta un mensajero en la Redacción con veinte pizzas. Otro, con una tarta de un metro de larga y el escudo del Real Madrid. Empiezo a preocuparme.

En una ocasión iba en el coche a los toros con Marián Conde. Ella, porque era una mujer, nos iba siguiendo. El conductor se desvía para despistarla, pero ella estaba ya decidida a matarse si era necesario, con tal de matarme a mí. Marián Conde se quedó atónita:

—No me lo puedo creer...

Mi embarazo no la detiene. Ella seguía con su locura. Y entonces no me quedó más remedio que poner el caso en manos de la Policía.

Cuando los inspectores llegaron a su casa, abrió la puerta su madre. Le comentaron lo que estaba pasando. Su respuesta fue:

—¡Ah, ahora le ha dado por Terelu! Hubo una temporada que le dio por La Década Prodigiosa.

Lo más desagradable ocurrió hace como cuatro años, cuando empiezo a recibir desde una cabina de teléfono llamadas de un hombre que me dejaba mensajes obscenos. El más suave, a ver como lo digo, venía a decir algo parecido a esto: «Me voy a masturbar en tu boca.» Ese era el nivel.

Observo que siempre hace las llamadas sobre las doce de la noche y las siete de la mañana. Tal vez era un trabajador que tenía un horario nocturno. Como aquello no cesaba, lo pongo en manos de la Brigada de Extorsión de la Policía Nacional. Me piden que a partir de ese momento, nunca le conteste. Descubren que marcaba mi número desde dos cabinas diferentes. Pero sus mensajes eran cada vez más intimidatorios.

Una tarde vengo en el AVE y me deja un mensaje algo más que inquietante: «Hoy va a ser un gran día: hoy te violo. Sé que iré a la cárcel, pero me habrá merecido la pena.» Se me cortó la respiración. Llamo al jefe de la Brigada y me pide que me tranquilice: en la estación de Atocha estarán dos compañeros suyos esperándome para seguirme hasta casa. Pero, al llegar, me dice algo terrible:

«Hoy te has librado porque estaba tu hija.»

Durante días tuve un coche de la policía a la puerta de casa. Me llegan a escoltar desde Tele 5 a mi domicilio. No podía más y a la siguiente llamada me armé de valor y le contesté.

—Hola —le digo, como cómplice, para llevarlo a mi terreno.

—¿Sabes quién soy?

—Sí: te sorprenderá comprobar que sé quién eres.

Colgó.

Y hasta hoy.

Nunca más.

FRENTE AL ESPEJO

Me miro en el espejo y, más que mi rostro, me veo de frente con mi futuro. Como una pitonisa que lee los posos de la taza de café, yo estoy leyendo una palabra: incertidumbre. Aparece escrita en mayúsculas: INCERTIDUMBRE. Sí, con mi salud, con las cosas personales, con el trabajo. Con todo. Eso me provoca un gran desasosiego, mucha, muchísima, inquietud. Me vengo abajo.

Estoy muy preocupada por si llegaré a la primera meta de mi enfermedad. Cuanto más cerca está la fecha de la revisión en la que supuestamente me darán el alta definitiva, más miedo tengo. Y sí, tengo trabajo. Afortunadamente lo tengo. Pero no es suficiente para las necesidades que tengo ahora mismo en mi vida.

Incertidumbre, también, por saber si podré recuperar mi profesión: creo que soy mejor presentadora que colaboradora. Aunque he de decir que en estos siete años he aprendido mucho. Pero soy una colaboradora incompleta. Incompleta por mis principios, por mi forma de ser, por no saber manejarme bien en el conflicto; porque siempre voy a anteponer el sentido de la lealtad con los que quiero. Por priorizar el no hacer daño. Por evitarlo. Algunos califican esa actitud como una postura fácil. Pienso que el silencio no siempre es cómodo: a veces es la más complicada de las posturas. Es un autocontrol para no hacer daño; para no hacértelo. Sobre todo cuando respetas esas informaciones que tú sabes que se han obtenido desde la confianza, el cariño y el respeto. En ocasiones, es menos complicado dar un golpe en la mesa que apretar los puños y callar.

Y ahora, cuando digo todo esto, cuando es de noche y no se escucha en esta casa ni un ruido, ni un murmullo de televisión o de la calle, ahora, digo, siento que cuando hablo lo hago de una manera lenta, como si las palabras me fueran saliendo de alguna esquina del corazón y necesitaran más tiempo para llegar al aire. No estoy bien. Sigue sin gustarme lo que veo frente a ese espejo.

Quede claro que no me considero mejor ni peor que nadie por tener esos planteamientos. Pero a mí se me ha juzgado por ello y, a veces, incluso, me increpan, pero yo no tengo el atrevimiento, o no me considero con el derecho suficiente para pensar cómo tienen que hacer las cosas los demás. Yo tengo la necesidad de hacerlas de acuerdo con mis creencias y de la forma que siempre me han enseñado. Buenos o malos esos son mis principios. Aunque, dicho de paso, estoy muy orgullosa de ellos.

No soy una persona conformista, aunque pueda parecerlo. Y aunque siempre he pensado que era algo positivo, ahora creo que no lo era. O no tengo claro que lo sea. Tal vez si hubiera sido más ambiciosa habría hecho más cosas en la vida. No lo sé. Pero conformista no. He sido muy feliz con el trabajo que realicé durante mucho tiempo. Y lo soy ahora con el que tengo actualmente. Feliz y afortunada. Mi madre siempre me enseñó que no hay trabajo grande o pequeño. Lo que hay es trabajo mal o bien hecho.

El mío intento hacerlo lo mejor que sé. Pero no puedo hacerlo desde la venganza, el rencor, el odio y el conflicto. No es que no pueda: es que no sé. Y por eso no soy ni mejor ni peor que nadie. Probablemente me resbalarían más las cosas de haber sido de otra manera, pero no puedo evitar ser como soy. Claro que podría cambiar, pero es muy complicado cuando alguien no está convencido de que, en ese caso, sería para mejor. Uno debe de cambiar porque esté convencido de que ese cambio va a servir para que seas mejor. Y, consecuentemente, mejor también para los demás.

Por eso hay momentos en los que me siento perdida. Y me siento sola. Y en todo ese conflicto interno hay algo a lo que me agarro: la conciencia. No puedo vivir de otra manera. Si tengo una discusión, una frase más alta que la otra con alguien, me paro y reflexiono cada vez con mayor rapidez, como si no quisiera que pasara más tiempo del necesario sin pedir disculpas. Algunos lo interpretan como una manifestación de puro egoísmo: tú no haces esas cosas por egoísmo. Y tal vez sea verdad. No hago determinadas cosas porque, egoístamente, son dañinas para mí. Y, por lo tanto, también para los que me rodean.

No soy negativa; soy realista. Tengo los pies en la tierra. Soy virgo. Soy muy práctica: no me gusta perder el tiempo. No me gusta que me lo hagan perder. Fundamentalmente, por una cosa: cada vez me queda menos. Miras hacia atrás y... ¡Dios mío! ¡Pero, si hace un momento tenía treinta años y ahora voy a hacer 52! ¡¿Cómo ha pasado todo tan rápido?!

Eso me da un cierto miedo. Miedo a que la vida se me escape, a que no sea capaz de retener cosas buenas; miedo a que haya perdido valor, a que me haya acobardado. Miedo. Probablemente tenga una explicación: si yo estuviera sola, si no tuviera ninguna responsabilidad en la vida, a lo mejor habría dicho sí a algunas cosas que me han ofrecido. O no a cosas que, también, me han ofrecido.

Pero, aunque esta noche me encuentro regular, y aunque siento que se me está cayendo esta casa encima y me estoy emocionando cuando digo estas cosas, no soy una persona negativa. Y pienso que lo mejor está por llegar, que la vida me va a dar otra oportunidad. Tengo el pálpito de que me espera un regalo: volver a empezar. Y que cada uno lo entienda como quiera...

En lo personal no sería justo decir que no he tenido suerte. La he tenido. He amado y me han amado. Seguramente he amado más a quien menos me ha amado. Y es posible que me haya amado más a mí quien menos haya yo amado. Uno, mientras está vivo, siempre tiene la esperanza de conseguir amar lo suficiente a quien te ama; a quien te ama lo suficiente. Y a que lo haga como a ti te gusta que te amen. Lo difícil no es amar: es amar como el otro espera y que te amen como esperas tú.

Esa es mi asignatura pendiente: recuperar mi yo. Nunca he dejado de ser yo. Pero hay una parte en mi interior que sí ha dejado de serlo. Por muchos motivos. Por las circunstancias, por la enfermedad, por las responsabilidades, por el trabajo. Mi puzle está incompleto. Faltan fichas. Y voy a salir a buscarlas.

Y como decía durante muchos años al despedirme cada día: sean felices. O, por lo menos, inténtenlo.

No siempre ha sido fácil bucear en el pasado. He recordado momentos muy difíciles de mi vida. Y otros muy hermosos, de mucha complicidad. Y cuando digo eso pienso en mi familia y, por supuesto, en mis amigos, que lo son como tal y no como palmeros; en los que me quieren con mis defectos y virtudes. Los que están a mi lado como un Pepito Grillo, dispuestos a lanzar un silbidito cuando es necesario. Amigos que me dicen por ahí no o me dicen vamos. El de un amigo es el amor más incondicional y el más libre. Incluso libre para elegirlos. Para que te elijan. La mayor traición es la de un amigo. Cuando alguno lo ha hecho y después me he reconciliado, he sentido que estaba fallando a los otros: a lo mejor no es justo con los que nunca te han fallado. Amigos como tú, mi querido Kike.

—¿Y por qué yo, por qué este libro, estas confesiones precisamente conmigo? ¿Por qué me dejas firmar tu vida, Terelu?

Porque me estaba refiriendo a los que son como tú. A ti, que eres un amigo del alma, un compañero. A ti, porque un día me propusiste, y yo me asusté, que hablara desde mi lado; desde todos mis lados: los que tienen luz y los que tienen lluvia. Tú estás convencido de que no me conocen. Por eso hemos escrito mi historia a dos manos, como pianistas de boleros, como una extraña y maravillosa pareja. Al principio estaba aterrada. Creía que no iba a poder. Pero pude. Este libro me quitaba el sueño; el poco sueño que suelo tener. Ahora estoy contenta de haberlo hecho. A veces ha sido incómodo, otras reconfortante, pero, en todos los momentos, absolutamente en todos, era vital que tú estuvieras ahí conmigo, como siempre. Tú ibas a respetar mis palabras. Y mis silencios.

No me perdonaría hacer daño a personas que han estado en algún momento de mi vida. No se lo merecen. No he mentido. No soy mentirosa. A lo mejor lo que sí he hecho es no rascar más de lo necesario. O de lo conveniente. No es un libro para herir. Es un libro para que tal vez yo vuelva a soñar.

—¿Cenamos?

—Sí y brindemos por todo lo bueno que esté por llegar.

ÍNDICE